D1293923

Lettre ouverte
aux coupeurs de têtes
et aux menteurs du bicentenaire

PHILIPPE DE VILLIERS

Lettre ouverte aux coupeurs de têtes et aux menteurs du bicentenaire

Albin Michel

Collection « Lettre ouverte »

22, rue Huyghens, 75014 Paris

ISBN 2-226-03768-3

Citoyens,

Si je m'adresse à vous, Messieurs les thuriféraires du Bicentenaire, c'est parce que je sais que vous n'avez qu'un mot à la bouche pour étayer votre casuistique : l'*Histoire*.

L'Histoire est du vrai qui se déforme, la Légende est du faux qui s'incarne, dit Cocteau. La Commémoration de la Révolution est à mi-chemin : elle représente l'incarnation d'une déformation.

L'esprit des Lumières voulait en finir avec les « siècles obscurantistes », « quand la religion était l'opium du peuple ». Aujourd'hui, la Révolution en est devenue la cocaïne. On nous en fait sniffer à toute heure du jour et de la nuit. Overdose de menteries. On nous force à croire que la Révolution est le « commencement absolu » de la France, quand la Terreur avait déjà émis la folle prétention d'un « recommencement absolu » de l'humanité.

On va même jusqu'à établir que, dans tous les domaines où l'homme a pu exprimer son génie, la Révolution fut l'instant du progrès décisif. Certes, elle aura laissé derrière elle des cailloux blancs. Mais l'honnêteté oblige à dire qu'elle aura aussi laissé des cailloux noirs.

Et voilà qu'on organise, pour l'occasion, la prosopopée miraculeuse d'un des guillotinés les plus célèbres : Lavoisier.

Les temps changent : Lavoisier réhabilité ! « La République n'a pas besoin de savants ! » a-t-on crié quand il fut décapité.

Aujourd'hui, la célébration liturgique du Bicentenaire « a besoin de savants » pour la fête et, soudain, revendique Lavoisier comme un des témoins accomplis de la Révolution.

Le Christ avait remis d'aplomb Lazare.

Le Bicentenaire remet à Lavoisier la tête sur les épaules, au moment même où on sort des prisons de la Terreur le grand Condorcet. Bricolage amusant de rebouteux manipulateurs de l'histoire falsifiée.

Spectacle insolite de ces Fêtes du Bicentenaire qui donnent au monde entier, des responsables de notre pays, une image de bateleurs et d'escamoteurs.

Impression de malaise des citoyens français traités comme des enfants crédules et niais, qui voient ainsi dénaturer les *élans généreux* des *États Généraux,* « l'avènement de la société ouverte » selon la juste formule de Jacques Julliard, et qui ressentent un ras-le-bol de cette soufflerie théâtreuse qu'on voudrait nous faire prendre à nouveau pour le Souffle de l'Esprit sur le Monde.

Lénine et Staline ont sans cesse fait référence à la Convention. A la terre entière, ils ont proposé leur révolution comme un héritage. L'un après l'autre, ils se sont réclamés de Robespierre. Terrible filiation. Insupportable parenté aujourd'hui pour le peuple français qui ne peut plus accepter l'idée totalitaire consistant à exalter « la Révolution comme un bloc » (J.-N. Jeanneney, *Le Figaro,* 23 mars 1989).

Hélas, il y a en germe dans la Convention, non pas la République française, mais quelque chose qui ressemble au stalinisme, et qui vole aujourd'hui en éclats aux quatre coins du monde. De Pékin à Lhassa, de l'Estonie à la Géorgie, du Kazakhstan à la Pologne, tandis que la jeunesse soviétique danse le rock sur la place Rouge et que la jeunesse chinoise « occupe » la place Tien An Men, le bloc communiste de Lénine, de Staline, de Mao se fissure ou tremble sur ses bases; là-bas on décroche les portraits géants des pères spirituels du totalitarisme concentrationnaire. Même Gorbatchev ne croit plus que « La Révolution est un bloc ».

Et chez nous, pendant ce temps-là, on s'apprête à chanter sur l'air des lampions : « C'est Robespierre qu'il nous faut ! »

Quand on examine les actions et les exactions de la Convention en Vendée, on constate qu'il s'agit d'un compromis entre Caligula et Himmler. Avec un zeste du Père Ubu : « croc à phynances » et « machine à décerveler ».

Le lavage de cerveau et l'intoxication relèvent de la terminologie contemporaine. La Terreur qui les appelait autrement en avait fait une règle de politique. Il en reste quelque chose puisque la Vendée ne figure pas autrement sur nos livres d'école que comme une « contre-révolution » ; or cela est une énorme contre-vérité. C'est pourquoi cette lettre est un cri du cœur.

Je m'arrête à ce nom de Vendée, à cette Vendée qui revendique l'héritage de la Révolution puisque c'est au nom de l'article 35 de la Déclaration des droits de l'homme qu'elle s'est soulevée.

Je parle au nom d'un peuple assassiné, un peuple dont les puits ont été empoisonnés à l'arsenic, un peuple martyrisé, quand des monstres ont établi des manufactures de pelages humains pour que les soldats des colonnes infernales puissent parader avec des jambières en peau de brigand.

Un peuple auquel un gouvernement français a envoyé les vérolés des prisons spéciales pour contaminer les femmes violées. Un peuple qui aura mis plus d'un siècle à réintégrer la France, tant le souvenir du carnage s'était incrusté dans les mémoires de la chair et les relais du sang. Un peuple qui aura finalement sauvé la liberté du culte en France, grâce au Concordat.

Je parle au nom de mes « trois cent mille compatriotes égorgés par la Révolution bourgeoise » (ce n'est pas moi qui le dis, c'est un autre Vendéen, le professeur Henri Laborit, ce biologiste de génie).

Au moment où les soldats du général

Amey enfournent dans les fours à pain des Épesses du combustible humain (une quarantaine de femmes et d'enfants), les représentants de la Convention écrivent à Lazare Carnot, ministre des Armées : « Quand nous avons essayé de nous interposer, les cris de ces misérables excitèrent tellement le général et les soldats, qu'ils nous ont menacés de nous faire subir le même sort. Citoyen Carnot, nous te supplions d'intervenir. La République se déshonore en Vendée. »

Au nom de l'avenir de la communauté nationale, au nom des valeurs fondamentales de la démocratie, en tant qu'élu du peuple, je porte plainte.

Au premier rang de ces valeurs, j'inscris la *liberté de conscience.*

Pour l'amour de mon pays, je vous en supplie, citoyens coupeurs de têtes, citoyens petits menteurs du Bicentenaire : ne frappez pas sur les cicatrices, cessez de désigner comme suspects les

« passifs et les indifférents ». Arrêtez la guillotine. N'ajoutez pas au massacre des innocents le massacre de leur souvenir. N'allez pas demander aux Français d'aller cracher sur leurs tombes. Ayez le geste. Un hommage réparateur pour les victimes...

Au moment d'entrer dans l'Europe, le pays a besoin de rassembler ses forces et d'aller chercher au fond de lui ce qu'il a de meilleur.

« L'exercice de la Terreur a blasé le crime, comme les liqueurs fortes blasent le palais. » C'est Saint-Just qui dit cela avant de mourir. Guillotiné. Pensez-y pendant les fêtes.

Mais que fête-t-on exactement ?

Si c'est 1789 et l'unité nationale, considérant que la Révolution n'est pas un bloc, et qu'il faut arrêter les pendules avant même la Fête de la Fédération, prenons garde ; car ce qu'on fête en ce cas-là, qui semble être l'hypothèse retenue par les pouvoirs publics, c'est la *Monarchie constitutionnelle*. Est-ce vraiment le but recherché ?

Si c'est la République qu'on veut célébrer, alors il faut bien voir qu'elle est mise en place à partir du *22 septembre 1792*. Cette première République est restée célèbre, sous le nom de « Convention ».

Mais alors, il faut parler des persécutions religieuses, des massacres de septembre et des pages noires de cette période de grand tourment.

Nous sommes au rouet. Et personne ne nous explique comment s'en sortir. Il est décidément très difficile de tricher avec l'Histoire, de ne montrer au « bon peuple » que la partie présentable.

C'est le syndrome « Potemkine », du nom de ce premier ministre de l'impératrice Catherine II de Russie, qui avait imaginé de montrer à sa souveraine la Crimée et la Tauride en lui faisant admirer des maisons, des villages et des bourgs qui n'étaient que des façades de bois décorées en trompe l'œil.

M. Jeanneney, nous cachant tout ce qui, dans la Révolution, ne rutile pas, multipliant les jeux de miroirs déformants et les effets d'optique, apparaît comme une sorte de « Potemkine du pauvre ».

La technique de présentation du Bicentenaire est une technique d'ancien régime.

Je sais que beaucoup de parlementaires de toutes tendances sont eux-mêmes désappointés par le bricolage de cette vision dialectique.

Je suis tombé par hasard sur un livre écrit par le grand-père de Pierre Joxe, à l'occasion du troisième cinquantenaire de la Révolution française.

Après avoir mis l'accent sur le piège d'un troisième cinquantenaire confiscatoire de la vérité, quand la Révolution fut, en sa phase terroriste, confiscatoire de la liberté, il termine par une poignante exhortation à la réconciliation et à l'harmonie.

« Ne vous fâchez pas si je vous dis qu'il n'y a qu'une France ; que Jacques Cœur et Riquet, c'est Lesseps, que Dupleix, c'est Lyautey, et que vous êtes absurdes quand vous comptez sur trois doigts d'une seule de vos mains les cinquantenaires de vos discordes, alors que les dix doigts de vos deux mains ne suffiraient pas à compter les siècles de votre grandeur. »

Le grand-père de Pierre Joxe avait raison. En cette année 1989, nous commémorons le Bicentenaire de la Révolution en même temps que le quatrième centenaire de l'avènement de Henri IV. Nos commémorations sont trop souvent des histoires de guerre civile.

Et pourtant, la France est un acte libre qui, en sa mémoire fracturée, en son histoire plénière, témoigne de toutes les aspirations à la grandeur. Une guerre civile finit, une guerre civile commence, et puis revient la paix, l'absence de guerre ou la tranquillité de l'ordre... La France est un acte d'amour.

Le pays dans lequel je suis né emporte les enfants, dès leurs premiers songes, dans trois aventures légendaires qui ont laissé une trace glorieuse dans la mémoire de la France :

— Cathelineau, le « saint de l'Anjou », paysan-combattant de la liberté, symbole d'une Vendée réfractaire, qui se lève et donne sa vie pour défendre sa foi.

— Clemenceau, le vainqueur de la guerre 14-18, qui salue le courage de ses Vendéens ensevelis dans la « tranchée des Baïonnettes ».

— Et puis, né dans le même village que le « Père la Victoire », Jean de Lattre, le premier Français qui plante le drapeau tricolore sur le Rhin et qui l'impose à Berlin.

Chacun est allé puiser à sa source, à sa tradition, à sa version de la Vendée et de la France.

Pourtant, tous ils savent, par l'intuition de leur expérience et par le mystère du contraste violent des paysages vendéens qui changent à chaque minute, que les vraies valeurs de la France s'accordent à son plus haut devoir : celui de *fédérer*, par-delà les fractures.

Alors que la plaie de 93 était encore béante, les « poilus » vendéens sont allés défendre le sol français à Verdun ; avec les Français des autres France, ils ont fait la partie de cartes entre les tranchées ; et leurs casques ont roulé là-bas, sur la plaine calcinée où jamais plus ne repassera la charrue. Ils ont payé l'impôt du sang ; ils ont hissé les couleurs. Petite Patrie, Grande Patrie, Verdun-

Mouilleron-en-Pareds, la brûlure de leur mémoire de Vendéens leur donnait comme un surcroît d'amour pour la France. Baptême du feu, baptême du sang...

Incorporant à la tradition vendéenne, tels les greffons sur le pied mère, les valeurs de la IIIe République et des hussards noirs, ils ont mis la Vendée définitivement en paix avec la France.

C'est à ce moment-là, dans les Éparges ou la forêt d'Argonne, que le drapeau tricolore et *La Marseillaise* ont quitté le temps de la Révolution pour devenir le patrimoine commun de tous les Français.

Quand on sait qu'un parent est tombé sous un étendard ou s'est enveloppé dans un oripeau tricolore et en entendant fredonner *La Marseillaise,* on ne perd pas son temps à chicaner sur l'héritage.

C'est cela, la France d'Henri IV.

Beau symbole que Clemenceau et de Lattre. Tous deux connaissaient bien ce que de Gaulle appelait « la vieille propension gauloise aux divisions et aux querelles ». Tous deux « nés natifs » de Mouilleron ; le premier proposa l'« union sacrée » pour faire gagner la France ; le second fit l'« amalgame » grâce auquel, en quelques semaines, avec les forces venues d'Afrique et celles venues du maquis, il forgea une seule armée française : *union sacrée, amalgame.*

Inventeurs géniaux de deux variétés sémantiques de la *Fraternité* française. Symboles de deux grandes victoires de la France.

La Vendée n'est pas une terre d'amertume ; on y apprend, dès les premiers pas, à reconnaître ces héritages puissants et contradictoires, et la richesse de ces traditions qui chez nous se croisent et s'entrecroisent.

Du plus loin qu'il m'en souvienne, ma première enfance a été bercée par le triple hommage à Cathelineau, Clemenceau, de Lattre. Mon père, ancien officier du « Quinze-Un », compagnon de Jean de Lattre, croix du Combattant volontaire de la Résistance, m'a appris la France à travers ces trois grands réfractaires, unis dans son récit par le même filigrane de la légitimité pour *service rendu.*

A chacun sa tradition orale. La mienne fut une surimpression de ces trois héros. Le Temps joue avec ce qu'on retient. L'Histoire qu'on chuchote à l'oreille d'un gosse se moque des repères de la chronologie. Tard le soir, quand on est petit, les siècles fusionnent.

Si bien que, par association d'idées et par la relation continue des chroniques paternelles, la superposition de leurs destins et de leurs devises les a peu à peu fondus dans une sorte de légende tramée, dans le même creuset vendéen du souvenir.

D'expérience, je sais maintenant que les enfants vont plus vite à l'essentiel que les adultes ; ils voient plus spontanément ; ils voient plus juste. Leur instinct ne les trompe pas et leur fait ressentir la puissance des symboles. Ils voient défiler les arceaux, les calvaires qui rythment les carrefours, les monuments de 14-18 :

« Morts pour la France ». Ils voient ce qui leur manque, ce que, plus tard, les adultes cherchent à oublier. Où sont mes deux grands-pères ? Morts à la guerre, l'un gazé à Verdun en mars 1916, l'autre tombé à la bataille du Grand-Couronné dès 1914. Mon père me raconte son 11 novembre 1918 : sa mère le prit dans ses bras et le serra si fort qu'il n'entendait plus les cloches de l'armistice : « Ton papa ne reviendra pas. »

Oh oui, madame de Staël, la gloire est le deuil éclatant du bonheur. Les enfants sont les premiers à deviner que l'Histoire est tragique. Les hommes politiques, les derniers. Bernanos a eu un mot lumineux : La vie d'une nation n'a rien à voir avec l'histoire d'une société industrielle ou financière qui tient dans les recueils des procès-verbaux de son conseil d'administration. « L'histoire d'une nation, c'est comme n'importe quelle vie humaine digne de ce nom : *un drame moral.* »

Je suis né sur les rives de la Boulogne, petite rivière lyrique rougie du sang de ses riverains ; tout près du village des Lucs-sur-Boulogne. C'est là que le 28 février 1794, furent massacrés 564 innocents, exclusivement des femmes, des vieillards et des enfants ; ils étaient enfermés dans l'église du Petit-Luc, où ils récitaient leur chapelet. Leurs ossements, exhumés au XIXe siècle, étaient encore entremêlés avec leurs rosaires. Des Lucs-sur-Boulogne à Oradour-sur-Glane, le pardon n'est pas l'oubli. Les descendants sont là, au milieu de nous, leurs noms sont gravés sur le manuscrit du martyrologe, on voit défiler les familles :

Marie Renaud, âgée de 12 ans.

Pierre Geai, âgé de 2 ans, fils de Jean, au Temple.

Louis Rousseau, 8 ans, Jean Rousseau, 6 ans, Jeanne Rousseau, 4 ans, de la Gaconnière, tous trois frères et sœur...

On pourrait continuer la litanie. Pas un survivant. Comme à Oradour, la plus jeune victime avait quinze jours.

Le rapport de la colonne incendiaire

— transmis à la Convention — arrache un haut-le-cœur : « Aujourd'hui, journée fatigante, mais fructueuse. Pas de résistance. Nous avons pu décalotter à peu de frais toute une nichée de calotins qui brandissaient des insignes de fanatisme. Nos colonnes ont progressé normalement... »

Le procès en béatification des enfants martyrs des Lucs progresse à Rome, lentement mais sûrement.

Si l'on pressait la terre des Lucs, il en sourdrait le sang des martyrs.

Clemenceau et de Lattre ont été tous deux fortement marqués par cette histoire.

De Lattre revenait souvent sur la mission du soldat : « La mission du soldat n'est pas de tuer, mais de mettre hors de combat, hors d'état de nuire. Or les colonnes infernales, comme les divisions SS, ont déshonoré la vocation militaire en donnant comme but exclusif à leurs actions sauvages et à leurs atrocités purement et simplement l'extermination, c'est-à-dire l'élimination physique et systématique. »

Quant à Georges Clemenceau, il tint, sur sa chère Vendée, deux discours successifs. Le premier date du 15 août 1906, au « banquet des Républicains » sur la place d'Armes à La Roche-sur-Yon. C'est le président du Conseil en exercice qui déplore : « Quand je pense que le plus généreux message de l'Histoire des Hommes depuis les paraboles du Christ est venu mourir sous des balles françaises dans les fourrés de Torfou... »

Vingt ans plus tard, au printemps 1928, le vieil homme amène au mont des Alouettes, aux Herbiers, son petit-fils Georges qui a légué à mon ami Gilbert Prouteau ce message à résonance de testament.

« Si je t'ai amené aujourd'hui contempler ce pays, le nôtre, au pied d'un ossuaire qui perpétue le plus grand sacrifice de la race, c'est d'abord pour que tu comprennes que la terre survit à tout. Aux promesses non tenues et aux cataclysmes. Et que les cendres froides finissent toujours par enfanter des laves nouvelles. Ici sont venus mourir des paysans qui ont cru qu'ils ne pouvaient pas vivre sans le Christ. Ils sont morts en héros. Comme leurs descendants de la tranchée des Baïonnettes. Tu sais qu'une compagnie de Vendéens a été engloutie vivante debout dans cette tranchée, et qu'on voit encore émerger des armes rouillées. Eh bien, sur cette terre où nous sommes, des milliers et des milliers de paysans rebelles ont été massacrés par les armées de la République. Ce peuple vendéen, il avait de l'idéal, et pour défendre cet idéal, quelque chose de buté, de borné, de sauvage qui me plaît. Ce ne sont pas les nobles qui ont lancé cette guerre ; ce sont les paysans qui sont venus les tirer de leurs lits, en leur disant " Allez, conduisez-nous ! " Il faut voir les gens comme ils sont, et les replacer dans leur terre. Nous parlions du Rhin, hier soir. Dis-moi ce que c'était que le Rhin, pour un paysan de Charette. Et la France, qu'est-ce que c'était la France ?

« Ils vivaient dans un monde préservé, entre leurs vignes, leur luzerne, leurs églises et leurs processions. Et on vient leur dire : " Par ici, il faut aller enseigner la République à nos frères d'Allemagne et d'Autriche. " Que vouliez-vous qu'ils disent ? " Nous, ça ne nous regarde pas, allez-y vous-mêmes... "

« A l'issue de cette guerre, notre terre aura recouvert le plus monstrueux ossuaire de l'Histoire de France.

« Mais cent ans plus tard, quand ils ont été à nouveau intégrés à la France, et quand ils ont compris ce que c'était que la Patrie, on a vu de quoi ils étaient capables. Il n'y a pas eu de meilleurs soldats. En fait, les guerres de Vendée auraient dû se réduire à des escarmouches. C'est l'incapacité de la République qui en a fait une effroyable tragédie. Quand il y a un vrai gouvernement, il n'arrive jamais rien de grave. Ces Vendéens sont morts pour la même idée qui a fait vivre et mourir tous les hommes depuis la forêt néolithique : la défense de la terre natale. » Ainsi parlait Clemenceau, au soir de sa vie.

Faudra-t-il, de manière définitive, considérer la « Terreur » et la « Vendée » comme des « points de détail » de la Révolution ? Faudra-t-il encore pendant deux siècles rejeter dans notre inconscient les phrases clés des purges, les mots d'ordre du cauchemar et du crime collectif ?

« C'est dans les plaies gangrenantes que la médecine porte le fer et le feu. C'est à Mortagne, à Cholet, à Chemillé, que la *médecine politique* doit employer les grands moyens et les mêmes remèdes. » Point de détail !

Ce diagnostic-là a provoqué la mort de 300 000 êtres humains.

Il fut prononcé par un conventionnel prestigieux ; repris ensuite, deux siècles plus tard ressassé et mis en œuvre par le sinistre Pol Pot.

En quelques mots, tout est dit : promesse d'un plan d'extermination de tout un peuple.

Insupportable à la mémoire vendéenne qui en saigne encore, faudra-t-il donc entendre cette phrase-là comme une apostrophe insignifiante ?

Le ministre du Bicentenaire, consulté par mes soins, le pense peut-être. Il m'a répondu, quelque peu gêné, le 19 janvier, à l'émission « Questions à domicile » sur TF1, que n'étant pas historien, il n'entendait rien à cette question, regrettant sans doute que son cabinet ait omis de lui en parler.

Quant au vicaire apostolique de la commémoration, M. Jeanneney, il voudrait nous faire croire que Robespierre était un enfant de chœur : avec onction et componction, et en faisant au passage la génuflexion oblique du dévot pressé de répandre l'encens sur la Fête, il nous annonçait, il y a quelques semaines : « Nous célébrerons le plus positif. »

Tout ce système fonctionne parfaitement. Tableau idyllique. Usine à mensonges. Mensonges par omission : Terreur-Vendée. La Bastille à prendre aujourd'hui, c'est celle de la Mémoire tronquée, de la Mémoire mutilée, de la Mémoire truquée, censurée.

Formidable occasion manquée pour une vraie *pédagogie des droits de l'homme.* Pour que le Bicentenaire soit utile ; pour que l'occasion soit offerte aux jeunes

Français d'un *acte de fierté* mais aussi d'un *acte de vérité*.

Un acte de fierté au sens de la commémoration de la Déclaration des droits de l'homme ; un acte de vérité au sens d'une remémoration, d'une mise en mémoire du système absurde de la Terreur. Non pas pour se repaître de la plus grande plage de sang de l'Histoire de France, mais afin de démonter les mécanismes de cette machine infernale qui fut la matrice des totalitarismes du XXe siècle. Pour comprendre. Pour tenter d'expliquer comment, en quelques mois, la Révolution s'est retournée contre elle-même, favorisant l'excroissance pathologique de son antiprincipe.

François Furet avait parfaitement résumé en 1986, dans un article du *Nouvel Observateur*, la double nature, la double portée de la Révolution : « Il y a deux moyens sûrs de ne rien comprendre à la Révolution française, c'est de la maudire ou de la célébrer.

« Ceux qui la maudissent sont condamnés à rester insensibles à la naissance tumultueuse de la démocratie. Ils seraient pourtant bien en peine de proposer à nos sociétés d'autres principes fondateurs que la liberté et l'égalité. Ceux qui la célèbrent sont incapables d'expliquer ni même d'apercevoir ses tragédies sauf à la couvrir de l'excuse débile " des circonstances ". Ils restent aveugles à *l'ambiguïté constitutive* de l'événement qui comporte *à la fois les Droits de l'homme et la Terreur, la liberté et le despotisme.* »

Bicentenaire de fête, pourquoi pas ?

La Révolution, c'est bien sûr et d'abord la Déclaration des droits de l'homme, sortie des entrailles de ce vieux pays judéo-chrétien qu'est la France, reçue par les nations modernes comme un texte augural, *charte de la dignité* qui a fait le tour du monde, message universel qui faisait dire à Clemenceau : « La France hier soldat de Dieu, aujourd'hui soldat de l'Humanité, sera toujours le soldat de l'Idéal. »

Commémoration des journées de 1789, de la Fête de la Fédération, afin de mieux cerner et de raviver dans la conscience collective des Français la réalité de la vocation moderne de la France, celle qui a permis de faire rayonner, au-delà de ses frontières, une certaine image de notre pays.

Au moment de l'installation de la « Mission Baroin », Jacques Chirac déclarait : « L'Histoire n'est pas un tissu de drames sans suite, une mêlée, un chaos où l'intelligence ne discerne rien. Un fil conducteur peut nous guider, à condition de considérer chacune des strophes du long poème comme ayant eu sa raison d'être, et comme ayant déposé dans la conscience de notre peuple son harmonique singulière qui, désormais, résonnera toujours, plus ou moins, jusqu'au terme de son existence temporelle. »

Il ne s'agit pas seulement d'un dépôt semblable aux alluvions qu'un grand fleuve charrie depuis sa source et qui composent les strates de son lit. L'Histoire a cette vertu de maintenir toujours présents les moments privilégiés de la vie d'un peuple, moments qui, s'ils sont révolus, ne sont jamais abolis et viennent, par des résurgences souvent inattendues, développer la conscience de soi d'une nation.

Deux siècles après 1789, il est souhaitable que la Révolution cesse d'être un enjeu du combat politique pour devenir authentiquement et pleinement objet de science. Le temps de l'Histoire est venu, c'est-à-dire de la réflexion critique : *Bicentenaire de vérité.* Mise à plat, remise en question de ce qui constitue, alors que l'encre du 26 août 1789 était fraîche encore, un détournement de la déclaration des Droits de l'homme. Robespierre a voulu la vertu, il a fait la Terreur.

Relecture de ces moments de barbarie qui ont inspiré les *grandes terreurs* de *notre siècle,* opération vérité au scanner. En sachant toujours que c'est l'oubli qui asservit, et la mémoire qui libère.

Le premier des droits de l'homme en effet, c'est *le droit à la Vérité.* La première inégalité c'est celle du souvenir. Souvenir des victimes autant que des vainqueurs.

La France est une marqueterie riche de multiples traditions légitimes. Aucune ne doit être méconnue. Elles composent le patrimoine de la nation. La Fête de la Fédération figure le symbole de cette quête jamais atteinte certes, mais toujours nécessaire, d'unité et de réconciliation, que notre peuple, trop souvent déchiré par l'histoire, doit s'efforcer de réaliser (de nouvelles plaies venant s'ajouter aux anciennes sans jamais cicatriser vraiment) en acceptant, dans le respect des traditions qui ont forgé la France, de les assumer toutes sans en rejeter aucune.

On ne trie pas son histoire, comme naguère dans les fermes de Vendée on triait la mogette. On prend tout. On ne choisit pas le patrimoine des souvenirs qu'on embrasse. On prend tout et on n'oublie rien ; afin d'avoir la même grille de lecture, les mêmes points précieux, les mêmes balises

Je sais bien que l'Histoire est toujours écrite par les vainqueurs. Néanmoins, chacun a droit à une vision de plénitude de notre passé.

Si nous voulons que les jeunes Français aient une vision sereine de leur histoire, il faut tout leur dire.

Afin qu'ils aient une vision commune de leur avenir, à partir des mêmes planches d'appel. Si la culture peut être considérée comme le fruit des savoirs implicites qui guident nos actions et nos pensées, la culture historique est une deuxième mémoire ; c'est l'expérience des autres. Elle évite le psittacisme. L'Histoire est source d'exemples, on n'en trouve pas toujours le sens, mais, page après page, y affleurent toujours quelques leçons, quelques constantes, quelques raisons de susciter l'engagement. Elle était belle l'idée d'Edgar Faure d'un « Bicentenaire concordataire », à condition de ne pas céder à l'illusion lyrique, de ne pas le réduire à une fête sur commande, bref, à condition que le Bicentenaire ne soit ni un *grand défoulement*, ni un *grand refoulement*.

Un pays libre comme la France ne peut accepter l'Histoire-machine, au sens de *L'Aveu* : la machine à oblitérer, à occulter, à gommer ou à simplifier.

Comme l'a écrit André Bettencourt : « La Révolution est de ces événements où la violence et le tragique se mêlent aux principes les meilleurs, aux intentions et même aux actes les plus héroïques, dans un écheveau combiné par le Destin, que nous n'avons pas le droit de recomposer à notre guise, à notre manière. »

Qu'y a-t-il de si gênant à parler de Valmy mais aussi de la Vendée ? Ce sont pourtant deux facettes de la Révolution. Deux manières bien françaises de dire non. Deux façons bien françaises de mourir pour la Liberté. Qu'y a-t-il de si gênant, quand on célèbre Condorcet, de dire qu'il a été maltraité, déshonoré, et qu'il a fini ses jours dans les prisons de la Terreur ?

Cette propension à la demi-vérité sent le truquage à plein nez. Dans les programmes du Bicentenaire, il n'y a pas un mot sur la Vendée. Pas un mot de compassion. Pas une citation. Pas une allusion. Le cortège passe, on cache la morte aux enfants. La gêne d'être Vendéen. Parce que la Vendée est votre œil de Caïn, messieurs les grands prêtres ?

Parce que la Vendée est une blessure au cœur de la France ? Parce que les Vendéens, dans leur élan, dans leur refus, ont eu l'intuition que *leur sacrifice assurait aux enfants de France la liberté de conscience* et que, partant, *les vaincus sont les vrais vainqueurs ?*

La France vit sa Révolution de manière schizophrénique : d'un côté se développent l'étude, la recherche, bref le *récit objectif et érudit* des historiens, peu à peu débarrassé et libéré du vieux carcan de l'historiographie marxiste ; et de l'autre côté, le *récit pédagogique*, pris dans les résidus des images d'Epinal, fabriquées par le premier centenaire et qui en est encore à nous resservir Michelet. Le malheur est que la première histoire, celle des spécialistes, ne s'adresse pas au grand public, alors que la seconde s'adresse à nos enfants.

Inacceptable décalage entre la *mémoire scientifique* et la *mémoire de l'école*. Comme si les cartes de géographie apposées sur les murs étaient encore celles de Vidal de La Blache.

Pourquoi donc cet immense fossé

entre les laboratoires universitaires et les manuels scolaires ?

Veut-on quelques exemples ? dans le numéro spécial du Centre national de documentation pédagogique intitulé *Textes et documents pour la classe*, on parle, à propos de la Vendée, de la « contre-révolution militante et punie ». Ce petit manuel de propagande nous réchauffe le mythe de l'enfant Bara, « l'enfant qui meurt pour que vive la République », quand tous les travaux récents ont démontré qu'il s'agit d'une pure invention. Citons par exemple le dictionnaire de Jean Tulard : « Trop jeune pour s'engager dans l'armée, Joseph Bara sert de domestique à un ami de son père, Desmarres, à l'armée de Bressuire. Alors qu'il promène deux chevaux, à travers prés, il est assailli par des voleurs qui le tuent pour s'emparer des montures. Desmarres signale le fait au ministre de la Guerre et sollicite une pension pour la mère et l'enfant. Barère lit sa lettre à la Convention, et Robespierre, soucieux d'utiliser cette mort innocente à des fins politiques, monte à la tribune pour demander les honneurs du Panthéon pour cette jeune victime. Le théâtre et la chanson se chargent de fabriquer la légende du jeune tambour qui, pris par les Vendéens et sommé de crier " Vive le Roi ", serait mort en criant " Vive la République ". Gustave Bord a démonté le mécanisme de la légende de Bara... »

Voilà comment on fabrique l'Histoire (comme on dit chez nous : « O lé de la belle ouvrage ! »). Toujours dans le même manuel, émanant du Bureau de l'Esprit public (ministère de l'Éducation nationale), à la page suivante et sous une illustration où « deux jeunes filles empêchent des brigands vendéens d'abattre l'arbre de la liberté », il est question tout simplement de « la barbarie vendéenne ». Question barbarie, ceux qui auront le courage de me lire jusqu'au bout ne seront pas déçus du voyage, d'ici quelques pages.

Quant aux manuels scolaires, ils proposent aux enfants de France une version lénifiante (léniniste) de la Terreur (on ne fait pas d'omelette sans casser les œufs) et une version caricaturale de la guerre de Vendée, à partir du moule explicatif du XIXe siècle (une sorte de jacquerie sauvage de fanatiques obtus).

François Furet, dans son dictionnaire magistral, a démonté cet engrenage de l'injustice et de la contre-vérité : « Environnée d'ennemis extérieurs et intérieurs, la Convention n'aurait eu d'autre choix que d'asseoir sur la crainte de la guillotine une mobilisation générale des hommes et des moyens. Interprétation qu'on trouve chez les thermidoriens, et promise à un brillant avenir, puisqu'*on la trouve encore dans la plupart des manuels scolaires de notre enseignement public* pour des raisons faciles à comprendre : elle présente en effet l'avantage d'offrir à la tradition républicaine finalement victorieuse une *révolution disculpée de son épisode terroriste,* puisque la responsabilité en retombe sur ses adversaires.

« C'est pourquoi on la rencontre chez beaucoup de ceux qui se réclament de l'héritage de 1789, comme le moyen d'échapper au dilemme de la contradiction ou du reniement. »

Chaque parent pourrait exhiber à loisir des exemples cocasses de cette technique de lissage des aspérités, de cet académisme des fausses fenêtres, permettant à l'élève de peser des œufs de mouche dans des balances de toiles d'araignées. Quelques exemples ?

Hachette seconde : Pour illustrer la question « Robespierre — monstre froid ou ami sensible ? », on apporte comme seul élément d'information une lettre de Robespierre à Danton, à l'occasion de la mort de sa femme.

Hachette quatrième : pour illustrer la guerre de Vendée, on se contente d'opposer « un massacre de Bleus » à « un massacre de Blancs », ce qui permet de renvoyer les deux parties dos à dos.

Hatier seconde : Robespierre y est présenté à partir d'un témoignage acide du girondin Pétion et d'un éloge flatteur du montagnard Levasseur, ce qui permet naturellement à l'Incorruptible de s'en sortir avec un match nul.

Hélas ! on pourrait empiler les manuels ; ils sont presque tous pareils : petits catéchismes orthodoxes de l'historiographie jacobine

Or, beaucoup d'intellectuels, en Europe, espéraient que l'année du Bicentenaire fût l'occasion d'une mise à jour, ou du moins d'un examen de conscience.

Des millions de Français attendaient que la Mission du Bicentenaire vînt éclairer ce fatras d'*une lumière de glasnost.*

Immense déception. Depuis les bulletins de la Mission jusqu'à ses numéros spéciaux (par exemple le n° 138 d'*Armées d'aujourd'hui*) que j'ai tous lus attentivement, le seul mot qui me vienne à l'esprit : *propaganda.*

Je ne parle pas des erreurs historiques et des approximations ; elles sont légion : ça sent l'Histoire arrangée.

Je veux parler de la trame d'ensemble : exploit technique de tout premier ordre car les nombreux articles, marqués du sceau de la Mission, et qui constituent le panorama de la Révolution, réussissent, sans aucune exception, à *ne pas évoquer une seule fois la problématique du dérapage révolutionnaire et de la Terreur.*

Il ne s'agit pas, pour la Vendée, d'aller réclamer l'interruption des réjouissances publiques du Bicentenaire. Ce que nous demandons simplement, c'est : dans la liesse et la munificence, un peu de pudeur et un peu de place ; mais surtout dans les discours, la *vérité*. En effet, quand une nation cherche à abolir une parcelle de sa mémoire, c'est une partie d'elle-même qu'elle abolit. La République ne doit oublier aucun de tous ceux qui la servent ; elle doit être la république de toutes les mémoires c'est-à-dire des mille et un chemins pour en devenir les citoyens.

Pour la Vendée, la Commémoration évoque à la fois son acte de naissance, son martyre et sa consécration. Elle est « née d'un acte de foi sur un champ de bataille » ; ondoyée dans le sang et dans les larmes.

Pour les Vendéens, la commémoration ne peut être un banquet à festons. Si on veut faire une retraite aux flambeaux, qu'on l'organise aussi chez nous avec les cierges de la messe des morts. Si on veut faire une kermesse, qu'on sache que notre kermesse à nous est une tragédie ; elle se joue devant un théâtre d'ombres.

La *vérité*. La *vérité* sur toute la période 1789-1799, c'est-à-dire ce qu'on a coutume d'appeler à l'école : « la Révolution ».

On dit que « la Révolution est un bloc » : de grâce, qu'on ne fasse aucune impasse. C'est une question d'honnêteté ; c'est une question de justice.

Va-t-on continuer à taire la Terreur ? Va-t-on enfin cesser de faire de Robespierre une idole, proposée aux enfants comme un paragon de la vertu et du civisme ?

A la lumière de ce qui s'est passé au XXe siècle, la Terreur est injustifiable. Jamais on ne pourra plus dire comme Lénine que la fin justifie les moyens. Ou encore : « La violence est nécessaire à la Révolution. »

Lénine, un Robespierre qui a réussi, comme on l'a dit. Beau spectacle ! Les deux grands systèmes liberticides de notre temps ont commis, comme la Révolution terroriste de 93, le péché de l'esprit : l'humanité ne nous plaît pas. On casse le moule. Et on refait une humanité. Naturellement, l'intention vise toujours le progrès de l'humanité, que ce soit chez Pol Pot, Mao, Ceaucescu, Castro ou Mussolini. Jean-Marie Domenach l'a dénoncé dans *Des idées pour la politique* avec subtilité : « Le lien entre la Révolution et la Terreur ne se trouve pas dans la volonté de faire le mal mais dans la volonté de faire le bien. » Cette toute-puissance accordée à la politique, conçue comme une métaphysique, peut seule expliquer que « des gens qui, en 1789-1790, voulaient libérer les peuples et établir le bonheur en Europe se soient, en quelques mois, transformés en monstres sanguinaires ».

L'idée même de « Révolution » pour notre temps apparaît aujourd'hui bien fragile. Je me souviens d'un maître livre de Bernard-Henri Lévy, *La Barbarie à visage humain,* dont les premières lignes sont saisissantes :

« Je suis l'enfant naturel d'un couple diabolique, le fascisme et le stalinisme... Je ne sais d'autre *Révolution,* dont le siècle puisse s'illustrer, que celle de la peste brune et du fascisme rouge.

« J'aurai bientôt trente ans et j'ai, cent fois au moins, trahi le rêve de la jeunesse. J'ai cru, comme tout le monde, à la " libération " fraîche et joyeuse : à présent, sans amertume, je vole de mes propres ombres.

« J'ai cru à la *Révolution,* d'une livresque croyance sans doute, mais comme à un Bien tout de même, le seul qui compte et vaille l'espoir : je me demande maintenant, sentant le sol qui se dérobe et l'avenir qui se décompose, si elle est non plus possible mais simplement désirable... »

Aujourd'hui, on sait que la Terreur ne fut ni un dérapage, ni une réplique aux événements.

La Terreur fut un *système de gouvernement*.

Comme pour expliquer qu'elle n'était pas inévitable, Pierre Vergniaud s'écria, au moment d'être guillotiné, le 31 octobre 1793 : « On cherche à consommer la Révolution par la Terreur. J'aurais voulu qu'on la consommât par l'Amour. »

Lorsqu'elle est mise à l'ordre du jour de la Convention, le 5 septembre 1793, la Terreur apparaît comme un gouvernement de fait, appuyé sur la force et la coercition. Robespierre l'a définie avec rigueur et solennité : « On conduit le peuple par la Raison, les ennemis du peuple par la Terreur. Cette Terreur n'est autre chose que la justice prompte, sévère, inflexible. »

Autrement dit, la Terreur est une machine à tuer ; une « machine à tuer les ennemis du peuple ». On a estimé à plus de 16 000 le nombre des victimes exécutées après condamnation. Et Fouquier-Tinville de s'exclamer : « Les têtes pleuvaient comme des ardoises un soir d'orage. » Marc-Antoine Jullien, commissaire extraordinaire et itinérant du Comité de Salut public a commis deux formules définitives : « La liberté n'a pour lit que des matelas de cadavres... le sang est le lait de la liberté naissante. » Et Danton avait déjà prévenu son petit monde : « L'amour sacré de la patrie est tellement exclusif qu'il immole tout, sans pitié, sans frayeur, sans respect humain, à l'intérêt public. »

Engrenage infernal d'une révolution qui, en quelques mois, passe de la proclamation des Droits de l'homme à la dictature, à la délation, à la *chasse aux minorités,* et au *crime collectif.*

Or, nous savons aujourd'hui, que, contrairement aux prétentions de l'historiographie marxiste, cette machine à tuer ne fut pas vraiment une machine de circonstance, c'est-à-dire une riposte, une réponse panique à la situation extraordinairement difficile dans laquelle s'est trouvée la République en 1793. Selon cette thèse, la Terreur aurait été le bras séculier, certes inhumain, mais indispensable pour sauver la Révolution.

Jacobins, bolcheviks, Khmers rouges : même combat. Sur la courbe du processus révolutionnaire, s'inscrit, selon ces professionnels du terrorisme, à un moment donné, le point crucial où les vrais révolutionnaires ne doivent céder ni à la pitié, ni au sentiment ; d'ailleurs, « la pitié n'est pas un sentiment révolutionnaire » comme le proclamera en Vendée le sinistre Westermann.

Et, toujours selon eux, il s'agit alors d'éradiquer la racine du mal ; dans ces moments-là où chacun joue sa peau, dans un climat de traque où la chasse à l'homme est un sport collectif, la peur dicte sa loi : tuer pour éviter d'être tué. On voit l'ennemi partout. Ennemi extérieur ; ennemi intérieur. La fièvre obsidionale est à son comble. Les ombres deviennent immenses, et le moindre mouvement du voisin le rend suspect, que dis-je, complice de l'ennemi. Obsession punitive des massacres de Septembre. *La République est encerclée.*

Tout devient menace. Tout le monde devient complice de l'ennemi, sauf naturellement les sans-culottes (plus tard les bolcheviks et les Khmers rouges eux-mêmes).

La gorge sèche, on tue comme on déboise, haletant, hystérique. Les dieux ont soif. La liberté... ou la mort. En massacrant les prisonniers de droit commun, les septembriseurs sans-culottes se sont sans doute souvenus de ce que Rousseau disait de Sparte : « Toute la Grèce était corrompue et il y avait encore de la vertu à Sparte. » Hitler, dès 1929, avait lancé son trop fameux : « Sparte doit être un modèle pour l'Allemagne, parce que Sparte extermine ses enfants trop faibles. Ainsi renaît la vigueur. »

En effet, en septembre 1939, Hitler fit lui aussi vider les prisons, au nom de la pureté sociale. Le ressort psychologique est analogue. Xavier Martin l'a très bien montré : l'eugénisme, le racisme trouvent là leur origine.

Les historiens nous disent aujourd'hui très clairement : non, les circonstances n'expliquent pas tout, pas même grand-chose. Parce que, quand la Terreur trouve son rendement, au cours de l'hiver 1793, et atteint son point culminant (au rythme d'une tête par minute) au printemps 1794, le gros de la menace, extérieure et intérieure, est passé. Edgar Quinet avait déjà posé le problème : « La grande Terreur s'est montrée après les victoires. Prétendrons-nous qu'elle les a produites ? »

Ce serait prendre l'effet pour la cause. L'ennemi extérieur est repoussé à la frontière dès Hondschoote (8 septembre) et Wattignies (16 octobre) ; Anglais, Prussiens, Autrichiens sont battus.

La Gironde n'est plus qu'une réminiscence ; la Vendée agonise après la défaite de Cholet (le 17 octobre), puis la Virée de Galerne. Toulon et Lyon se sont rendus et leurs noms ont été changés : Lyon est devenu « Ville affranchie »...

Pourtant, la Terreur redouble, obéissant à une sorte de loi d'inversion par rapport à la nécessité ; plus le danger s'éloigne, plus le gouvernement révolutionnaire emballe la machine.

Les deux courbes se croisent, au lieu que l'une, celle de la « justice prompte, sévère, inflexible » épouse l'autre, celle du danger qui fait trembler sur ses bases la République naissante du 22 septembre 1792. Quand la courbe du danger décline, la courbe de la Terreur ne cesse de monter.

En d'autres termes, moins le gouvernement révolutionnaire a besoin de la machine à tuer, plus il en use et en abuse. Le coup d'envoi a été donné ; la machine tourne toute seule, jusqu'à l'apostrophe célèbre de Saint-Just levant les bras pour arrêter le carnage : « La Révolution est glacée ! »

Cette *machine à tuer* est une *machine infernale.* Son but est moins de faire face aux circonstances que *d'accomplir la Révolution,* au sens eschatologique. Débarrassée de toute transcendance, de toutes bornes, elle ne fait plus référence à aucun droit.

Les révolutions commencent toujours par les puristes et les juristes ; elles se terminent toujours sans eux. Jean-Marie Domenach l'écrit : « La Révolution devient à elle-même sa propre fin, elle se divinise et multiplie les sacrifices humains. »

Il s'agit bien, en effet, d'un système de gouvernement, reposant à la fois sur une théorie et sur des institutions.

La « théorie » a été exprimée, exposée, par les deux rapports de Saint-Just et de Robespierre : le rapport du 10 octobre dans lequel Saint-Just se fait un procureur impitoyable : « Vous avez à punir non seulement les traîtres, mais aussi les *indifférents...* vous avez à punir quiconque est *passif* dans la République. »

Le 25 décembre, jour de Noël, Robespierre déclare la guerre au genre humain. Il étale son système, en exhibe les rouages et, sous le regard enfiévré des conventionnels, il brique la pièce maîtresse du dispositif : la *violence d'État.*

Ces proclamations ne vont pas sans la mise en place progressive d'institutions dont les performances ont été, dès cette époque, saluées comme exceptionnelles. A la base, les « comités révolutionnaires » ou « comités de surveillance », chargés, dans chaque commune et dans chaque section de Paris, de la *police politique,* au service de la justice révolutionnaire ; ces organes locaux de la Terreur se voient confier des missions de plus en plus larges : ils délivrent ces passeports intérieurs (Ausweis) que sont les « certificats de civisme », ils veillent au contrôle des étrangers (qui, par parenthèse, n'ont guère été à la fête à partir du 29 septembre 1792), ils chassent, repèrent, comme des magnétomètres à protons, cette molécule très recherchée : *le suspect.* On ira jusqu'à 800 000 suspects au plus fort de la Terreur.

Au sommet, on trouve les deux Comités prestigieux, de Salut public et de Sûreté générale ; et bien sûr, le très officiel « Tribunal révolutionnaire » dont l'autorité tient à ce que F. Furet a appelé « la toute-puissance exterminatrice ».

Mais il faut aller plus loin. Cette horrible machine est la préfiguration, voire *la matrice des grandes terreurs du XXe siècle :* l'enfer nazi, le goulag, les Khmers rouges, la Révolution culturelle de Mao et ses gardes rouges, les famines d'État de Mengistu, etc.

Certains maîtres du terrorisme moderne s'en sont d'ailleurs réclamés ; d'autres pas. Le résultat est le même. Jean-François Revel a magistralement décrit le système d'excuses absolutoires « qui devait servir de passeport à tant de systèmes totalitaires du XXe siècle, pour peu qu'ils se réclament du socialisme, même les plus sanglants, les plus sûrement affameurs. Après un passage en

Éthiopie durant les pires moments de la répression menée par le régime communiste, en 1977, l'important dirigeant communiste italien Giancarlo Pajetta a déclaré que le climat d'Addis-Abeba rappelle au fond celui de Paris sous la Révolution française. Comme à Paris, en 1792 et 1793, on peut apprendre à midi, badine Pajetta, que l'homme avec qui on a dîné la veille au soir vient d'être exécuté. Ces imprévus font donc un peu partie, selon Pajetta, du charme de ce genre de situation, auquel l'évocation de la vie parisienne sous Robespierre apporte à la fois une respectabilité historique et la poésie du folklore. Si le Robespierrisme, c'est la démocratie, alors peu importent les massacres, la faim, les camps et les boat people. Khmers rouges et sandinistes, Fidel Castro et les maîtres de Hanoi ont la raison historique et la morale socialiste pour eux. On ne peut plus leur objecter leurs violations des droits de l'homme, ni leur incapacité à nourrir le peuple : toute révolution s'inscrit dans une dialectique à long terme ou, plus précisément, dont on ne voit jamais le terme. Les circonstances dans lesquelles vit un régime révolutionnaire sont toujours exceptionnelles et défavorables, ce qui interdit de le juger sur ses actes, tout en justifiant ceux-ci ».

Étrange parenté, en effet, des symptômes de tous les totalitarismes. Ce sont les mêmes propulseurs de la guerre civile ; le même enchaînement fatal. On commence par mettre les têtes au bout des piques, pour les promener comme des trophées ; puis le sang appelle le sang. La Révolution, en son paroxysme, libère la bête immonde.

Premier symptôme : le *dénouement des désaccords politiques* se fait par la *mise à mort.* Le meurtre devient un mode de règlement des différends. Même maladie de la persécution, même processus, mêmes procédures, mêmes procédés, mêmes procès : la propagande, les clubs, les libelles, l'idée d'un mouvement irréversible qui disqualifie ceux qui traînent, ceux qui rechignent, ceux qui doutent, précisément ceux qui ne sont plus dans le mouvement, dans le sens « sens de l'Histoire », ceux qui, au juste moment où l'inquiétude a besoin de victimes expiatoires, sont accusés d'« activités contre-révolutionnaires ».

« Nous avons besoin de grandes trahisons ! » s'écrie Brissot. Et on juge, et on condamne pour trahison. On pourrait multiplier les exemples de cette parodie de justice ; on pourrait même, avec un ordinateur, à partir de quelques mots clés, de quelques mots fétiches, entreprendre de reconstituer le crime, de dessiner le « portrait-robot » de l'accusé lambda, de remonter un procès-prototype, un réquisitoire type pour un temps de Révolution :

« Accusé, levez-vous ! » Et pour la centième fois, le prisonnier se lève. Abruti, hagard, absent ; depuis si longtemps privé de nourriture, de sommeil, de lumière. On attend qu'il avoue sa complicité avec l'espion, avec l'ennemi. On retourne contre lui toutes ses déclarations, en les truquant. Par épuisement et désespoir, peut-être aussi par un reste de fidélité instinctive à ce qu'il a cru naguère, le prisonnier consent enfin à reconnaître tous les crimes qu'on veut qu'il ait commis. On lui fait apprendre par cœur ses dépositions. Le voilà coupable. Vingt ans plus tard, il publie son histoire. Il a été réhabilité. Sa femme, qui l'avait cru coupable, a de nouveau confiance en lui. Le voilà sorti d'affaire ; sorti de prison. De quelle prison ? Prison de La Havane ? Prison des Carmes ? Prison de Mao ? S'agit-il de Valladares ? Lavoisier ? Rochambeau ? Pasqualini ? Non, il s'agit là tout simplement du récit autobiographique d'Artur London, ancien membre du gouvernement tchèque, victime des purges staliniennes.

Je me suis contenté de citer sans guillemets un petit bout de scénario de *L'Aveu,* ce film exceptionnel qui démonte les rouages d'un procès politique totalitaire : le fond du discours est analogue ; le script est identique ; il n'y a que la pellicule qui change. On passe du noir et blanc à la couleur. Carrier, c'est la voie d'eau. Barbie, c'est Carrier plus les chemins de fer. Le procès de la veuve Mao, quand elle est renvoyée de son propre procès, c'est le procès de Danton, quand il n'a plus le droit d'assister à son propre procès.

Étrange similitude des attitudes. Dans la torpeur des mêmes fantasmes et des mêmes nostalgies, il y a un fonds commun internationaliste où baignent les terroristes et les rêveurs casqués du monde entier.

Drieu La Rochelle-le-collabo l'a écrit : « On est fidèle plus à des attitudes qu'à des idées. » Les gens sensés pensent l'inverse : on change d'attitude avec l'âge ; on s'efforce de ne perdre ni la tête ni ses idées.

Si on poursuit l'étude clinique des révolutions terroristes, on trouve donc les mêmes symptômes : l'intolérance, la proscription, l'exclusion, la dénonciation, la guerre sainte, le messianisme, la rupture avec le passé, d'où les changements de noms et de calendrier, etc.

Bref, la paranoïa collective s'empare de quelques exaltés qui, en cherchant à deviner l'ennemi partout, s'échinent à transmettre le mouvement de cet engrenage irrésistible de la société punitive. Et la machine roule, roule à l'abîme.

Mais, au-delà de la parenté des symptômes eux-mêmes, il y a de quoi être troublé, interpellé même, par l'étrange *parenté des fondements* de toutes les *grandes Terreurs,* depuis la Révolution. Ce n'est pas un hasard si Lénine a revendiqué sa filiation : « petit-fils spirituel de Robespierre ».

Réclamant « à deux siècles de distance, une vision plus juste de l'histoire, impliquant une révision déchirante des mythes et des stéréotypes », le cardinal Poupard, ministre de la Culture de Jean-Paul II, écrivait récemment : « La Révolution a persécuté l'Église, *non pour des raisons politiques mais pour des raisons spirituelles.* Le nouveau pouvoir issu de la Révolution s'est voulu un pouvoir non seulement politique, mais *global, total.* Et il n'y a qu'un pas, vite franchi hélas, du total au totalitaire. »

En effet, le premier fondement du pouvoir totalitaire, c'est la tentative de *soumission des consciences*. C'est en cela que les messianismes politiques débouchent toujours sur les pires tyrannies.

Le cardinal Poupard conclut : « Loin d'être un bloc, la Révolution est un champ clos où la liberté de l'homme blessé par le péché et soutenu par le vice oscille à son paroxysme entre bien et mal. Le piège révolutionnaire est, sans doute, de vouloir enfermer les hommes dans les catégories antagonistes des bons et des méchants, alors que nous savons, depuis la première page de la Bible, que la frontière n'est point extérieure, mais intérieure à l'homme. Toutes les exclusives sont mensongères et meurtrières. »

Les hommes sont toujours les mêmes et les révolutions ne les changent pas, se lamentait Hoche en accusant les conventionnels : « Vous avez déshonoré la République ! » Les révolutions sont des captations du besoin de croire. Tentations absurdes et dérisoires *d'interdire la vie intérieure*. C'est Fouché faisant graver sur les portes des cimetières l'inscription célèbre : « La mort est un sommeil éternel », ce qui revient à fermer, par décision de police, le paradis et l'enfer.

Ionesco, s'adressant aux maoïstes, avait bien résumé ce détournement d'espérance : « Vous faites la Révolution, parce que vous n'avez plus de métaphysique ! » Et voilà en effet qu'on supprime peu à peu toutes les libertés : la liberté du culte bien sûr. On ferme les églises, les temples, les synagogues, sur ordre de la Commune à compter du 23 novembre 1793. Dans certains lieux de culte, on installe, en guise de saint du lieu, les effigies de Marat, promu martyr de la liberté.

La persécution religieuse, la déportation des prêtres sur simple dénonciation, dès le 26 août 1792, préfigurent le remplacement du Spirituel chrétien par sa caricature de religion d'État : l'Idéologie. Comme l'a écrit avec tant de sincérité le protestant Pierre Chaunu : la liberté du culte n'est pas comprise dans les libertés nouvelles ; « la fidélité à l'Église s'apparente à un acte subversif, à une atteinte à l'ordre public et à la haute trahison ». Le Directoire de Paris l'avait déjà dit : « Un siècle entier de philosophes n'aurait-il donc servi qu'à nous ramener à l'intolérance du XVIe siècle par les routes mêmes de la liberté ? »

Tous les dissidents le savent : quand la liberté religieuse est supprimée, la liberté d'aller et venir est menacée. Donïa Cornea, l'héroïne roumaine, écrivait récemment un appel au secours qui devrait nous remuer au plus profond de nous-mêmes et de notre histoire. Comme le dit Pierre Chaunu, « l'appel entendu de Soljénitsyne rend désormais intolérable le petit catéchisme panterroriste du stalino-robespierrisme ».

Il est vrai que la loi des suspects du 17 septembre 1793 et la loi de Prairial du 10 juin 1794 ont de quoi faire pâlir d'envie le conducator Ceauscescu.

La première déclare « suspects » notamment « tous ceux qui, *par leurs paroles,* par leurs actions ou leur abstention, se sont montrés *ennemis de la Liberté* ». Voilà bien une nouvelle catégorie juridique intéressante.

La seconde loi, modèle du genre, sans doute inégalée, précise les contours de cette novation qui fit l'admiration du jeune étudiant Castro : seront suspects « tous ceux qui auront répandu des fausses nouvelles, ceux qui auront cherché à *égarer l'opinion ;* ceux qui auront cherché à *inspirer du découragement* ». Un chapelet négligé dans un grenier qu'on fouille, un scapulaire mal décroché du manteau de la cheminée, une bible mal dissimulée, c'est très suffisant. « Suspect », « ennemi de la liberté », « contre-révolutionnaire ». « Pas de liberté pour... »

Mais il faut aller plus loin, remonter plus haut le cours du torrent révolutionnaire. C'est très en amont qu'on rencontre la source de la pollution mortelle : c'est *cette idée folle de la Société abstraite, c'est ce délire du Recommencement absolu.* Mauvais élèves de Rousseau. Le robespierrisme est une théocratie qui, dans son impatience, préfigure la démence de Khomeyni : faire le ciel sur la terre. Comme la réalité se refuse et se débat, on la violente, on force à aimer ; « aimer la Révolution ». Sinon, pas de salut. Et le monde se partage entre l'effusion et l'anathème. Dans un livre d'entretiens récents, Claude Lévi-Strauss pose les mêmes questions que Léon Poliakov dans ses mémoires : « La Révolution a mis en circulation des idées et des valeurs qui ont fasciné l'Europe, puis le monde, et qui procurèrent à la France, pendant plus d'un siècle, un prestige et un rayonnement exceptionnels. On peut toutefois se demander si les catastrophes qui se sont abattues sur l'Occident n'ont pas aussi là leur origine... On a mis dans la tête des gens que la *société relevait de la pensée abstraite*, alors qu'elle est faite d'habitudes, d'usages, et que, en broyant ceux-ci sous les meules de la raison, on pulvérise des genres de vie fondés sur une longue tradition, on réduit les individus à l'état d'*atomes, interchangeables et anonymes*. La liberté véritable ne peut avoir qu'un contenu concret. »

L'exclamation de Saint-Just témoigne de cette ambition démentielle : « Tout ce qui, dans un temps d'innovation, n'est pas nouveau, est pernicieux ! »

On imagine les discours enflammés de la Convention : « Vous êtes appelés à recommencer l'Histoire », s'écrie Barère.

Le 13 avril 1793, entre deux trépignements convulsifs, l'incantation de Robespierre permet d'esquisser le cahier des charges pour la fabrication de cet incroyable prototype : un *homme neuf*; l'homme générique. « Considérant à quel point l'espèce humaine est dégradée... je me suis convaincu de la nécessité d'opérer une entière *régénération* et de créer un *nouveau peuple.* » Pol Pot, empruntant au grand ancêtre le nouveau moule, reprendra mot à mot la formule magique.

« Faire un nouveau peuple », voilà un message universel, car ce serait une marque d'égoïsme relevant de l'ancien monde que de ne pas en faire profiter les citoyens et camarades d'à côté.

C'est sans doute en cela que, selon

l'expression de François Furet, « la Révolution française cesse d'être en soi un moule et qu'elle est la mère d'un événement ultérieur : octobre 1917 ». Albert Mathiez établit un parallèle saisissant : « Jacobinisme et bolchevisme sont au même titre deux dictatures, nées de la guerre civile et de la guerre étrangère, deux dictatures de classe, opérant par les mêmes moyens, la Terreur, la réquisition et les taxes, et se proposant, en dernier ressort, un but semblable, la transformation de la société, et non pas seulement de la société russe ou de la société française, mais de la *société universelle.* »

Dans le *Dictionnaire critique de la Révolution,* qu'il a écrit avec Mona Ozouf, François Furet, analysant les causes de la Terreur, établit le juste partage des circonstances et du gène porteur : « Les circonstances ont bien évidemment servi de milieu de développement à l'idéologie et à la mise en place progressive des institutions terroristes. Mais cette idéologie, présente dans la Révolution dès 1789, leur préexiste et a une réalité indépendante d'elles, qui tient à la nature de la culture révolutionnaire française, à travers plusieurs cheminements d'idées. » Il cite notamment :

— « la *régénération de l'homme*, par quoi la Révolution française s'apparente à une annonciation de type religieux sur un mode sécularisé... » ;

— la *toute-puissance du politique* qui « ouvre un champ immense au fanatisme militant » ;

— le *concept du peuple-roi*, supposant l'unité du peuple et excluant le pluralisme de la représentation.

Par-delà les imprécations des nouveaux thaumaturges, il y a cette idée fixe de la régénération : « Nous ferons un cimetière de la France, plutôt que de ne pas la *régénérer* à notre manière. »

Cette idée fixe est grosse de toutes les variétés d'oppressions : de l'éducation à la rééducation. Rabaud Saint-Étienne ne laisse guère de doute sur le sujet en demandant qu'on « s'empare de l'homme dès le berceau, et même avant la naissance, car l'enfant qui n'est pas né appartient déjà à la patrie ».

Toutes les révolutions modernes, y compris celle de Khomeyni, dont « le prophétisme révolutionnaire mêle le ciel et la terre », selon l'heureuse expression de J.-M. Domenach, s'abandonnent à cette ambition totale de *refaire un peuple*, de *façonner de nouveaux psychismes*, de travailler la matière humaine, et, selon la formule de Mona Ozouf, de « purger la société de ses membres douteux, de retisser autour de chaque individu un réseau aussi serré de gestes, de rites, de croyances capables de rivaliser avec l'emmaillotage ancien. »

D'où l'urgence de dépouiller le vieil homme pour tenir la promesse de cet homme neuf.

Tout le problème tient à la difficulté de la prouesse, je devrais dire : de la parousie.

Pour faire un peuple nouveau, nos alchimistes les plus pressés en arrivent à penser qu'*il faut tuer l'ancien*.

Dans un premier temps, on élimine les

contre-révolutionnaires, c'est-à-dire des catégories préalablement définies : aristocrates, prêtres, koulaks, porteurs de lunettes (intellectuels) ou Khmers propriétaires, paysans roumains « accapareurs », etc. Puis les catégories s'étendent aux sceptiques et aux tièdes — Saint-Just : « Ce qui constitue la République, c'est la destruction totale de ce qui lui est opposé. » Enfin, la machine dévore ses propres enfants : après les hébertistes, Danton et ses amis, etc.

Au moment d'écrire ces lignes, je repense à *Hernani* : « Je suis une force qui va... » ; ou encore : « Ah, je porte malheur à tout ce qui m'entoure. » La Révolution du *recommencement absolu* était devenue une *force brute,* un système de violence d'État, dévalant la pente du cynisme et de l'anéantissement de toute différence, et de toute vie de l'esprit. Si la République, au sens romain, au sens anglo-saxon et au sens moderne de nos institutions, c'est la possibilité juridiquement organisée de s'opposer, la Convention a produit le contraire de la République.

Ce que l'historiographie commémorative s'ingénie à dissimuler méticuleusement aux Français de 1989, c'est cette face cachée de notre histoire, ce pan entier de la tradition jacobine où s'est enraciné le stalinisme, c'est cette machine à contraindre les esprits et les corps, c'est cette broyeuse d'idéal qui a « produit » la « Vendée — Vengé », cette province qu'on a voulu rayer de l'histoire, et que le Bicentenaire a rayée de tous les programmes. Pour ne pas troubler la fête.

Dansons la Carmagnole...

Pas de Requiem pour la Vendée...

Que s'est-il donc passé en Vendée ? Que s'est-il donc passé de si grave pour que *l'histoire civique* (contrairement à *l'histoire scientifique* récente) occulte l'hécatombe au point de faire apparaître le soulèvement vendéen comme un épiphénomène dû à l'arriération mentale d'un pays coupé du monde par les haies et les halliers bornant l'horizon au champ du voisin ?

Ou encore comme un complot politique fomenté par des hordes hystériques, imbibées de fanatisme religieux, envoûtées par les Messieurs et les Maîtres, une conspiration de hors-la-loi infiltrés par les Anglais, une sédition cherchant à retarder, voire à détourner le grand mouvement révolutionnaire engagé dans l'invention du Bonheur ?

La réponse de l'histoire scientifique ne fait plus aujourd'hui aucun doute : la République s'est arrangée comme elle a pu, au XIXe siècle, de la guerre de Vendée, en la remettant à sa main. Mais à faire silence sur l'horreur, aux Lucs ou à Katyn, on prend un risque; le risque du temps. Pas le temps officiel, très court celui-là, qui recouvre les exactions, mais le temps officieux, le temps des familles, qui découvre les charniers, le temps des médaillons qui piste les mensonges, *le temps qui crie justice et porte plainte* devant la mémoire collective, le temps qui recompose les filiations et reconstitue les chemins de traverse de l'histoire chuchotée à la veillée.

Antigone n'a pas eu le droit d'enterrer son frère Polynice. La Vendée n'a pas eu droit à des obsèques.

Mais, faute d'histoire officielle, la Vendée a eu ses chroniqueurs. Faisant la chaîne des générations pour lutter contre l'oubli, pointant du doigt les confidences des moulins, des buissons, des caches et des lieux-symboles de la guerre, la Vendée a dû se contenter de sa parole, de son bouche à oreille. Il aura fallu attendre l'après-guerre et le livre de l'abbé Billaud pour que ces témoignages fussent enfin écrits, vérifiés, recoupés, bref pour que le récit des paroisses et des « cherche-pain » devînt une « histoire vraie ».

Dans les années post-soixante-huitardes, les grands historiens scientifiques se sont intéressés à ces événements caricaturés par Michelet.

C'est ainsi que, dans son *Dictionnaire critique de la Révolution,* François Furet ouvre, à la page « Vendée », la boîte de Pandore : « L'hécatombe des Vendéens, jointe au ravage de la Vendée, est le plus grand massacre collectif de la Terreur, *sans pouvoir être inscrit dans les fameuses colonnes absolutoires des " circonstances du salut public "* ».

Vous avez bien lu : « sans pouvoir être inscrit... ». Inexcusable. Monsieur le vicaire apostolique devra s'en confesser.

Quel est donc le bilan de la guerre et de la répression de masse qui a suivi la défaite des Vendéens ? C'est, à mon avis, impossible à savoir. Reynald Secher, dans son remarquable ouvrage sur *Le Génocide franco-français,* est très modeste quant aux chiffres qu'il avance.

Jean-Clément Martin, dans son livre récent *La Vendée et la France,* tente une estimation. On peut citer ses chiffres comme une base de consensus minimum.

« Ce sont donc au moins 220 000 à 250 000 personnes qui ont disparu pendant les guerres (à titre indicatif, on estime que, pendant la seule Virée de Galerne, de 60 000 à 70 000 Vendéens seraient morts). Cette fourchette, qui est une estimation minimale, ne prend pas en compte les innombrables soldats républicains comptabilisés ici. Les nombres les plus divers qui ont cours sur ce point sont de 100 000 à 220 000. Le grand nombre des décès est inévitable dans une armée qui a été forte de 40 000 à 60 000 hommes pendant plus de trois ans, et qui comptait régulièrement près d'un tiers de ses effectifs à l'hôpital. Avec un total de 1,3 à 1,5 million d'habitants pour les quatre départements, la région a perdu 20 % de la population, taux minimal. C'est dire que l'on peut accepter les estimations contemporaines qui voulaient qu'un tiers des habitants soit mort des suites de la guerre et que l'*on ne peut pas tenir pour tout à fait invraisemblable le chiffre de 600 000 morts*, que Hoche avait avancé pour l'ensemble des décès, même si cette borne supérieure est très haut placée. *La mortalité* causée par les guerres de Vendée *aura été aussi stupéfiante que cela.* »

En tant que président du Conseil général de la Vendée, j'ai pu moi-même consulter quelques archives méconnues.

J'ai, par exemple, sous les yeux, au moment d'écrire ces lignes, un manuscrit étonnant. Il s'agit d'un procès-verbal de la première réunion du Conseil général de l'an VIII, dans sa première composition, et qui ne comprenait que des républicains convaincus ; ceux-ci se lamentent de constater que la mentalité vendéenne n'a guère changé et demeure réfractaire aux principes nouveaux, en ajoutant notamment : « Le peuple, endoctriné, refuse de confier ses enfants à l'éducation républicaine. Il aime mieux les priver de toute espèce d'instruction ou les envoyer à quelques anucheurs [*anucher :* bafouiller] qui leur répètent des momeries religieuses... »

Puis les honorables collègues évoquent, en la vilipendant, la répression par les colonnes infernales et décrivent ce système qui « était d'anéantir l'espèce humaine dans ces contrées pour y établir une population nouvelle ». Alors on assassinait en masse et sans distinction d'âge, de sexe, ni de moralité.

« On incendia cinq cent lieues quarrées [*sic*] de pays. On en lira les richesses mobilières et les troupeaux au gaspillage et à la cupidité. On en dévora, on en enleva, on en massacra. »

Enfin vient, sous la plume désolée de ces bourgeois républicains, la terrible conclusion : « Sans les rochers et les bois qui servirent de retraite, il ne fût pas resté dans le pays :

— un bœuf,

— un mouton,
— un cheval,
— un homme. »

Vous avez entendu ? « Pas un cheval, Pas un *homme* ! »

Le soulèvement de la Vendée correspond à un combat d'une évidente modernité :

— il s'agit d'une insurrection *spontanée* ;

— il s'agit d'une insurrection *populaire* ;

— il s'agit d'une insurrection à la fois *légale* et *légitime* ;

— il s'agit, et cela est aussi, hélas, de notre temps, d'une insurrection suivie, à partir de janvier 1794, de ce qu'il faut bien appeler, au sens du droit international de l'après-guerre, un « *crime collectif* ».

Tous les travaux récents attestent le *caractère spontané et populaire* de la révolte.

C'est ce soulèvement de vie, ce coup de colère des métairies qui devait bousculer le cadastre officiel et de donner à la Vendée son identité, en ses contours affectifs d'aujourd'hui, depuis les Mauges jusqu'au pays de Retz ou à la Gâtine. Jean Yole l'a écrit dans une formule définitive : « Alors que toutes les provinces sont devenues des départements, la Vendée est le seul département qui soit devenu une province. D'un coup de reins vigoureux, elle a brisé les limites trop étroites qu'on lui avait imposées. Elle est venue border la Loire, s'est emparée du coin des Deux-Sèvres qui lui plaisait, s'est offert en apanage une partie de l'Anjou, et tout cela au pas de charge, en quelques journées et pour toujours. Pour le monde entier, la voilà sœur de la Pologne et de l'Irlande. »

Cet enfantement douloureux s'est fait au son des tocsins des paroisses, des roulements de tambours et des cantiques de Fête-Dieu ; ils chantaient le *Vexilla Regis* comme les Corses retrouvent le *Salve Regina,* sans doute parce que, dans ces moments-là où affleurent les blessures de l'âme, l'instinct des peuples brimés les porte naturellement à descendre en eux-mêmes, et, par excavation, par enfouissement, à aller chercher le vieux fonds ancestral de croyances ; révolution chère à Péguy, appel d'une tradition moins profonde à une tradition plus profonde.

Qu'on me pardonne cette expression : mais, devant ce mouvement tectonique soudain et inattendu, la Convention est prise à contre-pied. Immédiatement elle cherche à interpréter la rébellion à travers sa grille de lecture rétrospective. Elle ne saisit pas qu'il s'agit non pas de rebelles mais de résistants, qui iront jusqu'au bout. Malentendu catastrophique, selon François Furet : « La Convention, en face d'une insurrection du peuple contre la Révolution du peuple, ne peut rien y voir d'autre qu'une figure nouvelle, et la plus grave, du " complot aristocratique ", pour restaurer le monde ancien sur les ruines de la République » ; et François Furet ajoute : « Les dés ont été jetés en deux semaines. »

Dans ses mémoires, la femme de Lescure, le chef vendéen, souligne que « cette guerre n'a pas été, comme on l'a dit, entreprise par les nobles et les prêtres ». « De malheureux paysans, blessés dans tout ce qui leur était cher, n'ont pas pu le supporter, se sont révoltés, et ont pris pour chefs des hommes en qui ils avaient mis leur confiance et leur affection. Les gentilhommes et les curés, proscrits et persécutés ont marché avec eux. Mais aucune personne raisonnable n'a jamais pu imaginer qu'une poignée de pauvres gens sans armes, sans argent, pourrait vaincre les forces de la France entière. On s'est battu par opinion, par sentiment, par désespoir et non par calcul. On n'avait ni but, ni même une espérance positive. Et les premiers succès ont passé l'attente qu'on avait d'abord conçue. Il n'y eut ni plan ni complot, ni secrète intelligence. Tout le peuple s'est levé à la fois parce qu'un premier exemple a trouvé tous les esprits disposés à la révolte. »

Jean Yole a dépeint ces hommes exaspérés qui laissent, un jour, leur champ à moitié labouré, retroussant leurs manches, et bien décidés à mettre de l'ordre dans la maison, disant simplement : « Il faut en finir. » Sans que l'on sache exactement comment le feu a pris, sans que les chefs spontanés se soient entendus, puisque, à la même heure, les clochers sonnent comme un glas. Et c'est l'embrasement. Ce sont 770 paroisses qui se répondent. La Vendée militaire est en marche.

La spontanéité du mouvement suppose et implique, bien sûr, l'impréparation, l'improvisation, l'absence totale de préméditation.

A cet égard, la lecture de tous les cahiers de doléances incline à penser que *la Révolution avait été bien accueillie par les Vendéens*. Michelet nous décrit, à tort, des Vendéens rétifs aux idées nouvelles, « malheureux sauvages » qui vivaient entre deux haies, sans jamais parler qu'à leurs bœufs, et qui « ne voyaient nullement le mouvement qui se passait autour d'eux ». Michelet se trompe et nous laisse là quelques puissants récifs de son imagination prompte à absoudre les exactions des Bleus. (Michelet n'est pas vraiment crédible pour ce qui concerne la Vendée. Pierre Chaunu l'a dit avec des paroles fortes : « Notre historiographie depuis plus d'un siècle doit tout à Michelet. Pour l'honneur de celui qui a écrit sur Jeanne d'Arc les plus belles pages de la littérature française, je ne citerai pas le passage où les noyades des femmes et des enfants dans la Loire sont portées au compte d'une philanthropique euthanasie. On pardonnera à Michelet cet instant de folie. »)

Dans ses *Mémoires sur la guerre de Vendée,* Lucas de la Championnière raconte ce qu'il a vu de ses propres yeux : « Les commencements de la Révolution n'effrayèrent point les habitants de nos campagnes, pas plus que ceux de la ville ; chacun, au contraire, se flattait d'améliorer son sort. Le paysan crut devenir bourgeois, le bourgeois s'imagina être gentilhomme, plusieurs nobles même osèrent attendre pour eux les honneurs qu'on ne rendait qu'aux grands ; il n'est pas jusqu'aux vicaires qui ne se réjouissaient de l'indépendance où ils allaient vivre, et j'ai vu des mémoires faits par eux où ils demandaient à être salariés par la nation pour n'être plus soumis aux caprices de leurs curés. Le bourgeois avait vu avec plaisir le noble dépouillé. Le paysan rit en voyant la réquisition s'étendre sur les biens des bourgeois ; le raisonnement de chaque classe en voyant piller celle qui le précédait, était que les riches seraient toujours assez riches... »

Les Vendéens n'ont jamais été des contre-révolutionnaires ; ils ont vu sans amertume disparaître l'Ancien Régime. *La cause du soulèvement n'est pas politique, elle est religieuse.*

L'idée d'un « complot royaliste » est considérée aujourd'hui par tous les travaux récents comme une idée complètement délirante. Certes, cette imputation a été bien utile pour donner, à la tribune de la Convention, dès le 1er août 1793, une « base juridique » à la répression en

Vendée. « La Vendée, et encore la Vendée, s'écrie Barère, voilà le charbon politique qui dévore le cœur de la République française! » Nécessaire par la suite, l'idée du complot royaliste permettait de disculper la République naissante en favorisant le transfert de la responsabilité des tueurs sur les victimes. Vieil artifice, vieille ficelle, vieux truc du maintien de l'ordre, vieux comme Hérode : la Vendée aurait donc commis un acte de subversion. D'ailleurs ils étaient des guerriers de la nuit : leur cri de ralliement n'était-il pas celui de la chouette?

Il faut redire ici très clairement que la Vendée n'a rien à voir avec la chouannerie; pour quatre raisons au moins :

1. Ce ne sont *pas les mêmes hommes* : Rien à voir entre Jean Cottereau dit « Jean Chouan » qui n'a jamais combattu sur la rive gauche de la Loire, et les Vendéens du sud de la Loire autour de Cathelineau, Charette, etc.

2. Ce ne sont *pas les mêmes lieux* : la chouannerie, c'est la Bretagne, le Maine, et plus tard la Normandie avec Frotté.

La Vendée militaire, ce sont 10 000 kilomètres carrés, au sud de la Loire, recouvrant une partie des départements suivants : la Loire-Inférieure, la Vendée, le Maine-et-Loire, les Deux-Sèvres.

3. Ce n'est *pas la même chronologie* : comme l'a souligné J. Boisson *(Pourquoi la guerre de Vendée)*, « commencée dès 1791, dans le Bas-Maine, avec le marquis de La Rouërie, la chouannerie ne s'achèvera qu'en 1804 avec Georges Cadoudal, après s'être étendue épisodiquement à la Bretagne et à la Normandie, bénéficiant un moment de l'appui des Anglais, et soutenue par des émigrés dont le comte d'Artois qui, voyant là une possibilité de restauration de la Monarchie, tentera de récupérer à son profit le mouvement entrepris, avant que celui-ci ne sombre plus tard dans une courte opposition au Pouvoir napoléonien ».

Les repères chronologiques de la Vendée ne sont pas les mêmes :

— mars 1793 : début du soulèvement ;

— 17 février 1795 : la paix de La Jaunaye rétablit la liberté du culte.

4. Ce ne sont *pas les mêmes motivations* :

— les chouans réclament le « retour aux libertés provinciales » garanti par le « retour de la Monarchie ». Les objectifs sont à la fois beaucoup plus politiques et plus locaux ;

— les *Vendéens se battent pour leur foi*. La preuve ? C'est la formulation du préambule du traité de La Jaunaye : « Les Représentants du peuple, considérant que les départements de l'ouest sont ravagés depuis deux ans par une guerre désastreuse, que les troubles qui les agitent prennent leur source dans la clôture des temples et l'interruption du paisible exercice du culte... »

L'aveu est de taille. La Vendée s'est soulevée pour défendre sa foi.

Les cinq arrêtés qui suivent le préambule soulignent la cause profonde de la guerre : arrêté n° 1 : « Le culte est désormais libre en Vendée. Les prêtres réfractaires n'y seront pas inquiétés. »

17 février 1795 ; retour à la case départ du 26 août 1789 : « Nul ne peut être inquiété pour ses opinions religieuses » (Déclaration des droits de

l'homme). Le détour de préhension aura coûté cher à la France en vies humaines et en épreuves.

— Politique, le combat des Vendéens l'a sans doute été dans ses conséquences ; mais la cause du soulèvement ne l'était pas. La preuve ? Quand, plus tard, sous l'Empire, certains nobles nostalgiques cherchèrent à soulever à nouveau les populations vendéennes, l'échec fut cinglant. Pourquoi donc recommencer la guerre puisque « nos bons prêtres sont revenus » ?

La preuve encore ? C'est Napoléon. Quand l'Empereur passe à Chavagnes le 8 août 1808, la liesse populaire témoigne de la reconnaissance des Vendéens à l'égard de celui qui a imposé et signé le Concordat.

Quand on sait que, à l'époque, Chavagnes était, avec Saint-Laurent, un des berceaux de la Vendée insurgée, et partant, avait perdu plus de 30 % de sa population, on mesure le chemin parcouru en quelques années seulement. Il faut lire les pages d'Amblard de Guerry sur l'explosion de joie que suscita la rencontre avec celui qu'on appelait désormais le « restaurateur de la France » : « A la nuit tombée — il était 8 h 20 —, Napoléon, revenant de Bayonne, allait passer sur la grande route, au pont de la Chardière. On l'attendait depuis deux heures de l'après-midi. Un arc de triomphe disait la gloire du héros, en vers composés par le professeur de rhétorique du collège. Un feu de joie allumé dans un champ de Beaulieu faisait rougeoyer, comme en 1793, les tours de la Chardière. Deux heures plus tôt, on avait baptisé un petit Napoléon, un Rulleau de la Brenénière — qui, par la suite, préféra se faire appeler Polyte. Toute la population était là, le maire Roger et l'adjoint Grivet en tête, ceinturés de rouge grâce au vestiaire de la sacristie; et les élèves du Collège crièrent : Vivat Imperator ! Le Père Baudouin improvisa le discours que le maire se trouva brusquement incapable de prononcer.

« Pendant ce bref arrêt de l'Empereur, la prospérité sembla pleuvoir sur la commune. Il promit de payer la construction d'une route reliant le bourg à la route impériale, et accorda au collège une subvention importante ; tout à l'heure, à Saint-Georges, il " donnerait " 20 000 francs pour reconstruire l'église. Tout le long de la route, il distribua ainsi de l'argent... en promesse. Finalement, on ne reçut rien ; et un décret supprima le collège, le transférant à La Rochelle et à Saint-Jean-d'Angély. »

Napoléon avait tout compris de la Vendée. Dans le *Mémorial de Sainte-Hélène*, il analyse la guerre de Vendée, et sa vision est celle d'un orfèvre ès coup d'État : « Si, profitant de leurs étonnants succès, Charette et Cathelineau eussent réuni toutes leurs forces pour marcher sur la capitale après l'affaire de Machecoul, c'en était fait de la République et rien n'eût arrêté la marche triomphante des armées royales. Alors le drapeau blanc eût flotté sur les tours de Notre-Dame, avant qu'il eût été possible aux armées du Rhin d'accourir au secours de leur gouvernement. »

C'est que le combat vendéen ne correspondait pas à une guerre de conquête ou de reconquête. Ce n'était ni une fronde ni une jacquerie. Elle ne répondait à aucune stratégie politique, sauf peut-être pour Charette, avec les clauses secrètes du traité de La Jaunaye concernant Louis XVII. La guerre de Vendée fut un sursaut, un cri du cœur. Et non pas la manœuvre subtile d'une armée de petits Monk. Ces combattants au double cœur étaient à cent lieues de prétendre opposer à la Révolution une révolution contraire, qui fût le contraire d'une révolution. Ils n'étaient pas plus contre-révolutionnaires que révolutionnaires. Ils étaient arévolutionnaires.

Trop facile de les faire passer pour réactionnaires, agents de l'étranger et des émigrés ! Trop facile de leur prêter plans secrets ou intentions cachées.

Aucun d'entre eux n'avait lu Machiavel ou Richelieu, l'ancien évêque de Luçon. Ils n'aspiraient qu'à la liberté de penser, pas encore à la liberté d'arrière-pensée.

Comment une armée populaire, aussi mal coordonnée, composée au jour le jour de soldats de fortune qui, refusant de quitter la ferme plus de trois jours, couraient au-devant du moindre prétexte de victoire pour retourner chez eux « changer de chemise », comment cette armée a-t-elle accumulé les succès, jusqu'à mettre en déroute à Torfou, les « invincibles Mayençais » de Kléber? Sans doute, comme plus près de nous les Afghans, parce qu'ils se battent chez eux. En moins de temps qu'il ne faut pour le dire, ils « s'égaillent » dans la campagne, remarquables tireurs, redoutables braconniers.

Et pourtant leurs premières armes ne sont pas toujours des fusils de chasse. Ce sont les armes de la grange : la fourche et la serpe, la faux emmanchée droit, qui sert de baïonnette, le couteau de pressoir, fixé au bout d'un bâton. Le reste, logistique et canons, viendra plus tard.

L'allure de ces étranges soldats qui crient « rembarre » à pleine poitrine et dans un ensemble impressionnant, épouvante les Bleus.

Maryvonne Ménard a retrouvé trace de leur accoutrement et de leurs premières habitudes : « Les fantassins donnent à l'armée un air bizarre ; pauvrement vêtus, ils portent ce large chapeau de paille ou de feutre appelé " raballet ", qui préserve autant du vent que de la pluie ; d'autres choisissent de gros bonnets de laine rousse, enfoncés jusqu'aux oreilles avec une cocarde blanche ou verte.

« La veste de serge ou de laine brune, aux pans arrachés, se porte sur un gilet très court dont les poches servent de giberne. La culotte, d'étoffe brune, se boutonne sur le côté de la jambe et jusqu'au genou. Les guêtres sont de toile, et les sabots ferrés retenus au pied par des tiges de cuir (qu'ils laissent sur le terrain en cas de débâcle). Le chapelet au cou, les paysans gardent un scapulaire sur le cœur ; un grand mouchoir à carreaux fait office de cartouchière. On le glisse au fond des larges poches ou bien on le fixe à la ceinture ; parfois la femme ajoute du jambon et du pain, à grignoter entre deux embuscades, quand son “ bonhomme ” aura pu s’abriter au creux d’un chêne têtard.

« Au fur et à mesure des prises, les pistolets et les sabres remplacent les faux et les piques improvisées.

« Meuniers et colporteurs constituent la cavalerie. Leurs chevaux de trait sont lourds et paraissent un peu minables. Sans bottes, sans casque ni cuirasse, une couverture sanglée en guise de selle, des cordes en guise d’étriers et de brides, cette cavalerie ne trouve sa place que dans les déroutes ennemies pour assurer la poursuite. Couteaux, fusils et sabres pendent à des cordelettes le long des montures.

« Les faux sauniers, contrebandiers hardis, prennent naturellement les postes de tirailleurs. » Bref, peu à peu, chacun trouve sa place au sein d’une organisation qui doit tout à l’intuition et à l’anticipation des événements. C’est la nécessité qui impose toutes les décisions et dicte les ordres de bataille.

Les deux principes qui, finalement, inspirent les choix de cette organisation, résultent eux aussi des leçons des premiers combats : le principe d'égalité pour la troupe, le principe d'expérience pour les chefs. Expérience du commandement, ou expérience de la guerre. Égalité dans la discipline et dans le service à rendre, de village en village, partout où il y a des hommes valides ; les leaders qui se dégagent de la troupe pour l'encadrer, et qu'on appelle les « capitaines de paroisse », sont tous choisis par la base pour leur charisme et leur autorité naturelle. Il n'y aura pas de privilèges ; la Révolution est passée par là.

Napoléon, dans ses mémoires, y fait une allusion judicieuse : « La Révolution avait touché juste en proclamant l'égalité, car les armées vendéennes étaient elles-mêmes imprégnées par ce grand principe qui venait d'envahir la France. »

Et les nobles dans tout cela ?

Les nobles étaient contre cette guerre.

Mme de La Rochejaquelein le dit sans ambages dans ses mémoires : « Les nobles n'ont jamais fomenté et commencé la révolte ; je suis loin de dire qu'ils ne la désiraient pas, mais on doit comprendre, pour peu qu'on y réfléchisse, qu'aucun d'eux n'était assez fou pour engager une poignée de paysans sans arme, sans argent, à attaquer la France entière. » L'épisode de Fonteclose est célèbre : quand il entend la troupe des Maraîchins qui s'approchent de sa propriété, Charette se cache sous son lit ; il est débusqué par quelques aiguillons, et le voilà, en robe de chambre, qui harangue la foule : « Vous êtes fous ! »

Pourquoi donc les capitaines de paroisse ont-ils montré tant de détermination à embarquer les nobles dans cette aventure ? tout simplement parce que les nobles en question sont d'anciens officiers du roi, c'est-à-dire des *professionnels qui savent faire la guerre* et qui ont l'art du commandement. C'est ainsi que se fait l'amalgame entre soldats de fortune et soldats de métier.

Il est vrai par ailleurs que cette lune de miel entre paysans et nobles, si surprenante en cette période de règlements de comptes dans tous les métayages de France, s'explique par l'évidente proximité des modes de vie en Vendée ; vie rustique, vie rurale d'une petite noblesse, elle-même paysanne, qui ne connaît ni la cour de Versailles, ni l'opulence des « seigneuries ». L'habitat de la Vendée en témoigne : c'est une des rares provinces où il y a si peu de châteaux, mais des logis en fer à cheval ; pas d'étage ; on est de plain-pied. La toiture du logis est à la même hauteur que celle de la ferme. La ferme elle-même est prise dans les ailes du logis. Le corps du logis, en son cœur, comprend la pièce essentielle, immense, où toutes les familles prennent ensemble leurs repas.

Proximité qui n'allait pas sans méfiance réciproque, puisque le métayage, consistant à partager la récolte, était bien souvent fondé sur un système de tricherie et de dissimulation.

En tout cas, dans l'esprit des paysans, les propriétaires valaient cent fois mieux que ces profiteurs de la Révolution qu'on appelait « ceux des villes », les « bourgeois ».

Pour deux raisons au moins, et ce, dès les événements de Pâques 1791, les paysans en veulent aux bourgeois, comme l'a souligné Élie Fournier :

— « Ce sont eux qui, étant électeurs, ont mis en place, au moins indirectement, les lois nouvelles. » Ces lois qui « changent la religion », et qui bouleversent la vie des hommes en âge de servir la Cause. Ces lois qui les contraignent à une double vie : la vie du métier au jour le jour, quand il faut moudre le seigle et faire bouillir la marmite; la vie de la consigne à la nuit tombante quand il faut grimper tout en haut du moulin pour que la position des ailes donne, au petit jour, la position des Bleus; ou quand il faut faire la veille auprès du curé de peur qu'on ne vienne l'enlever pendant la nuit...

— Ce sont les mêmes bourgeois qui, profitant de l'aubaine (constitution civile pour les biens d'Église, émigration pour les biens des nobles), s'enrichissent ainsi par l'acquisition des « biens nationaux », au nez et à la barbe de ceux qui triment à travers champs, ou besognent dans les venelles du bourg.

Oui, la Révolution est passée par là. On leur avait promis l' « Égalité ». Et ils voient de leurs propres yeux que certains, déjà, sont plus égaux que d'autres.

C'est en cela que l'insurrection vendéenne apparaît, aujourd'hui, légitime et légale ; fondée sur un double combat, proclamé par la Déclaration des droits de l'homme :

— un combat pour l'Égalité ;

— un combat pour la Liberté.

Un combat pour l'Égalité tout d'abord. Les Vendéens des campagnes trépignent devant le nouveau décor de la richesse qui se met en place sous leurs yeux : à la morgue de l'administration royale succède le despotisme de l'administration révolutionnaire, aux mains de ces nouveaux « notables », opportunistes et affairistes, et qui tiennent désormais les leviers de commande.

Préposés à l'ordre nouveau, les « gardes nationaux » se comportent bien souvent, et dès 1791, d'une manière odieuse. Joseph Clemenceau note ainsi que, dès ce moment-là, « les excès de ces soldats improvisés exaspèrent les campagnes. Leurs bandes armées visitent les villages. Ils détruisent partout les objets de piété, malmènent les hommes, insultent et déshabillent les femmes pour leur arracher leurs scapulaires et leurs crucifix ». La colère gronde.

Mais c'est la loi sur la conscription forcée des 300 000 hommes qui va embraser le pays ; elle n'est pas la cause, elle est l'étincelle du brasier qui va suivre. Reynald Secher explique très bien en quoi là encore le principe d'égalité est tout simplement foulé aux pieds : « L'une des principales revendications des cahiers de doléances va être bafouée. Les petits paysans demandaient l'exemption de la milice, source de ruine pour l'exploitation déjà si fragile. Or, le gouvernement réquisitionne soudain 300 000 hommes pour les envoyer on ne sait où, soit pour appartenir à des troupes pourchassant les prêtres réfractaires, soit pour défendre un régime haï. Quant aux fonctionnaires et aux officiers municipaux oppresseurs, ils sont *exemptés* de ces services, conformément à l'article 20 du texte légal. Le départ de ces hommes valides laisserait la population encore plus désarmée devant le pouvoir abusif de l'État.... »

L'exemption des fonctionnaires pour la réquisition des 300 000 hommes, ressentie comme une injustice insupportable, met en branle tous ces villageois et paysans sourcilleux qui, devant le spectacle indécent des spoliations, de l'enrichissement sans cause et de l'achat massif des biens nationaux par les bourgeois des villes, accordent leurs humeurs de citoyens exaspérés en laissant à l'écho hostile le soin de porter à tous les pignons de fermes l'immense plainte qui monte des chemins où, déjà, l'on s'égaille : « Nous avons été trompés. » Plutôt se battre que d'accepter l'injustice. Plutôt mourir que subir les vexations puis les persécutions en haine de la foi. « Ne pas subir.. »

Ce que les Vendéens refusent de subir, c'est l'immixtion dans les consciences ; cette absurde tentation d'un pouvoir qui voudrait régenter la vie intérieure. La cause réelle, la cause profonde du soulèvement tient au *combat pour la liberté de conscience*. L'insurrection vendéenne a été le sursaut mystique de paysans humiliés, frustrés, spoliés dans leur terre et dans leur chair, dans leur cœur et dans leur foi. Et c'est pourquoi cette guerre suscitée par le peuple va prendre très vite les formes et les couleurs, la stratégie et le mouvement de la première guerre populaire de l'histoire moderne.
Cent cinquante ans plus tard, Hô Chi Minh et le général Giap viendront secrè-

tement chez nous pour regarder et pour comprendre. Ils repartiront avec les documents et les mémoires des généraux vendéens ; et de cette visite insolite naîtra cette guerre de notre temps qu'est la guérilla de toutes les révolutions : « Le soldat évolue dans le peuple comme un poisson dans l'eau. » Maquisard la nuit, bûcheron le jour ; avec toujours une âme de charpentier de chapelle-au-chêne.

C'est la guerre de l'armée des ombres : le combattant devient fils des ténèbres et œil de la nuit. Aujourd'hui, sur tous les continents, la guerre de Vendée a essaimé ses sources et ses ressources, ses fusions et ses confusions. Charette (dont Napoléon dira qu'il « laissait percer du génie ») a deux siècles d'avance sur l'histoire contemporaine. Guerre de pionniers au double sens de la tactique militaire et de la cause idéologique, au double sens du comment et du pourquoi : comment se bat-on en sabots, tapis dans les marais de Sallertaine ou réfugiés dans les étangs fongeux et les tauzins séculaires de la forêt de Grasla ? Comment, mais surtout pourquoi ? Pourquoi ce peuple va-t-il être martyrisé dans ses enfants, dans sa croyance et dans ses blés ? Rebelle. Qu'est-ce donc qu'un rebelle ? C'est Bonaparte en 93, quand il préfère la prison à la Vendée ; c'est Clemenceau en 1862 quand il proclame la République sous l'Empire, c'est Hugo en 1852 quand il préfère l'exil à la pairie, c'est de Gaulle en 1940 quand il préfère l'aventure à l'avancement. La saga de notre pays est jalonnée de ces rebelles qui ont écrit l'Histoire avec leur sang. Si proche de nous, la Résistance nous rappelle la superbe interpellation de Malraux : « Ne pas savoir désobéir, c'est risquer un destin d'esclave ! »

La Vendée a désobéi.

Au nom de l'article 35 de la Déclaration des droits de l'homme : « Quand le gouvernement viole les droits du peuple, l'insurrection est pour le peuple et *pour chaque portion du peuple,* le plus sacré des droits et le plus indispensable des devoirs. » Comme l'a affirmé le républicain Joseph Clemenceau, il faut « regarder comme la première et principale cause de l'insurrection des Vendéens le décret fatal qui exigeait des ecclésiastiques le serment de fidélité aux lois, et surtout la *persécution* dirigée contre les prêtres qui refusèrent ce serment ».

François Furet, une fois encore, a vu l'essentiel : « Tout montre d'ailleurs que le principal ressort de la révolte vendéenne est religieux, et non pas social ou simplement politique. » Claude Petitfrère le dira lui aussi : « Cet attachement collectif à l'ancienne foi et à l'ancienne Église, perçues comme inséparables et comme menacées par la Révolution, dépasse les limites du conflit entre les villes et les campagnes. »

Et François Furet propose d'en finir avec les propos convenus de l'histoire officielle : « Pour en prendre la mesure, il faut abandonner l'obsession " républicaine ", héritée des Lumières, et si présente chez Michelet, de la manipulation du paysan à demi sauvage par le prêtre réfractaire.

« Il faut rendre au peuple vendéen sa foi et ses cultes traditionnels, tels que les avait formés son passé, auquel vient se heurter la réorganisation révolutionnaire, si vite perçue comme antireligieuse. C'est une histoire mal connue, mystérieuse encore, où émerge le plus récent : à savoir que le territoire de la future insurrection a été, au XVIIIe siècle, la terre de mission des montfortains », du nom de Grignon de Montfort, mort en 1715 et enterré à Saint-Laurent-sur-Sèvre.

Histoire mystérieuse ? Pas tant que cela.

La clé du mystère a été donnée au Bourget par Jean-Paul II le 1er juin 1980 lorsqu'il cita, parmi ses trois saints préférés, saint Louis Marie Grignon de Montfort, aux côtés de Thérèse de Lisieux et du curé d'Ars.

Cette clé, c'est tout simplement que la Déclaration des droits de l'homme était toute contenue dans la prédication de

Montfort et que, pour les Vendéens, l'expression nouvelle des droits naturels de la personne humaine avait une résonance déjà entendue de cantiques, de préceptes et de symboles puisant à la source vive de l'enseignement des disciples de Montfort.

Chacun avait à l'esprit les principes énoncés par Montfort pour lutter contre la superstition, lui qui recherchait les pauvres et les malades, errant au gré de la Providence, tel que l'a si bien décrit L.-M. Clenet ; lui dont l'attitude, les sermons sur la justice, sur le Mal, étaient hors des normes et venaient réveiller un christianisme populaire depuis longtemps assoupi et ainsi revigoré par le culte de la Vierge Marie.

Lui qui, enfin, connaissant parfaitement la doctrine du moine Alcuin exprimée au concile de Francfort en 974, proclamait selon le mot repris par Bernanos : « Ce qui importe à l'homme, ce n'est pas seulement d'avoir des droits, mais la fierté nécessaire pour en porter la charge avec naturel et dignité, car ils pèsent plus lourd que les devoirs. »

Toute la prédication de Montfort reposait sur *l'égale dignité de la personne humaine,* seule capable de fonder la souveraineté. « L'homme est un souverain parce qu'il est créé à l'image de Dieu. » « Il n'y a plus ni Juifs, ni Grecs, ni esclaves, ni hommes libres, reprenait Montfort après saint Paul s'adressant aux Galates, car tous, vous êtes UN dans le Christ-Jésus » (3,28). « Les hommes naissent et demeurent libres et égaux... », dira l'article 1er de la fameuse Déclaration.

« Au fond, s'exclamera Jean-Paul II au Bourget, ce sont là des idées chrétiennes. Je le dis tout en ayant bien conscience que ceux qui ont formulé ainsi les premiers cet idéal, ne se référaient pas à l'alliance de l'homme avec la Sagesse Éternelle. Mais ils voulaient agir pour l'homme... »

Pourquoi donc ce long détour par Montfort et par Alcuin ? Tout simplement pour expliquer la sensibilité particulièrement aiguë des Vendéens au respect des droits de l'homme à partir de la conscience vive et singulière que l'enseignement mulotin leur avait inculquée de cet idéal de vie.

Les Vendéens étaient donc préparés par l'option préférentielle pour les humbles, sans cesse réitérée par leurs nouveaux prêtres, à recevoir naturellement la Déclaration des droits de l'homme, à la fois comme un propos pétri d'influences judéo-chrétiennes, et comme une avancée de la conscience civique grâce à la définition de droits politiques attachés à la qualité de citoyens.

Ceux qui aujourd'hui prétendent que la Déclaration des droits a jailli tout armée du cerveau des constituants ignorent ou veulent ignorer qu'elle est sortie des entrailles de la France, et que ce texte décisif, avant de faire le tour du monde, en passant par la Virginie avant Paris, fut le résultat d'une lente maturation.

Bien sûr on pourrait gloser pendant des heures (comme l'évêque Champion de Cicé a dû y consentir avec tous les clercs dont il s'entoura pour l'ultime rédaction) sur les différences fondamentales entre la déclaration du 26 août

1789 et la doctrine traditionnelle de l'Église, notamment sur le point capital du fondement de la souveraineté.

Selon le moine Alcuin, « le principe de toute souveraineté réside essentiellement *dans l'homme,* image de Dieu ». Selon l'évêque Champion de Cicé, « le principe de toute souveraineté réside essentiellement *dans la nation.* Nul corps, nul individu, ne peut exercer d'autorité qui n'en émane expressément ». Y a-t-il contradiction, nouvelle formulation ? C'est un vrai débat mais qui n'est pas notre propos. Ce qui est sûr, c'est que la Déclaration des droits ne fut pas une génération spontanée.

La Vendée combattante s'en est récla mée comme d'un bien sorti du creuset de sa tradition spirituelle autant que du creuset de la nation entière. Et c'est au nom de ces droits que la Vendée entre en guerre.

La Guerre se déroule du mois de mars 1793 au mois de décembre 1793.

D'un côté une armée de soldats en uniforme, de l'autre des soldats en galoches et une population civile qui assure à ces derniers les moyens de subsistance. Le 1er août 1793, Barère vocifère, à la tribune de la Convention, un arrêt de mort tristement célèbre : « Le Comité de Salut Public a préparé des mesures qui tendent à exterminer cette race rebelle, à faire disparaître leurs repaires, à incendier leurs forêts... »

En effet, dans un premier temps, les Vendéens avaient accumulé les succès jusqu'à leur échec à Nantes le 29 juin 1793.

Dans un deuxième temps, les Vendéens perdent le terrain conquis et voient la plupart de leurs chefs tomber au combat : Cathelineau est mortellement blessé à Nantes, puis Bonchamps, Lescure et d'Elbée à Cholet, lors de la défaite du 17 octobre.

Dans un troisième temps, et par une erreur incroyable de stratégie, les Vendéens franchissent la Loire à Saint-Florent : c'est la « Virée de Galerne », retour d'un lamentable convoi de fugitifs hagards, longue colonne qui s'étire sur plus de quatre lieues et qui finira par un effroyable carnage : sur les 60 000 Vendéens qui ont franchi la Loire en octobre, 5 000 reviendront en décembre. Tout le reste aura péri le long de la route. C'est le 21 décembre que la défaite est consommée, à Savenay ; l'armée catholique et royale est anéantie, liquidée.

Le général Westermann, dont le goût pour l'emphase ne le cède en rien à son goût pour le sang, fait là son plus brillant compte rendu à la Convention : « Il n'y a plus de Vendée, citoyens républicains. Elle est morte sous notre sabre libre, avec ses femmes et ses enfants. Je viens de l'enterrer dans les marais et les bois de Savenay.

« *Suivant les ordres que vous m'avez donnés,* j'ai écrasé les enfants sous les pieds des chevaux, massacré des femmes qui, au moins pour celles-là, n'enfanteront plus de brigands. Je n'ai pas un prisonnier à me reprocher. *J'ai tout exterminé.* »

Nous voilà au tournant historique de

la guerre de Vendée. Reynald Secher, insistant sur la césure, cite l'avocat Villenave et son témoignage capital : « Après la bataille de Savenay, la Vendée était anéantie. Il ne restait plus que quelques pelotons rebelles, que Charette, Stofflet, s'efforçaient de grossir. Les communes rentraient dans l'ordre. Elles allaient être entièrement soumises ; la clémence, la douceur, l'amnistie pouvaient seules ramener la paix dans ces malheureuses contrées. »

C'est justement à ce moment-là, quand la Vendée demande grâce, qu'elle cesse d'être un danger pour la République, quand il suffit, pour établir la paix, d'une main tendue vers les doigts gourds des blessés transis dans les fossés où a coulé trop de sang de la parenté, c'est à ce moment-là que la Convention décide de porter le fer dans la plaie ; c'est à Noël 1793 que Turreau est dépêché pour mettre en place les fameuses *colonnes infernales* afin de « dépeupler la Vendée », et, selon l'expression du général Beaufort, de « purger entièrement le sol de la Liberté de cette race maudite ».

Ce n'est plus la guerre, puisque l'ennemi est soumis, hors de combat. La Vendée est à terre, ravagée, brisée. On décide de l'achever.

Entre les deux périodes considérées, il y a toute la distance qui sépare une *guerre civile* atroce, avec des exactions des deux côtés, de la mise en place et de la mise en œuvre de ce qu'il faut bien appeler, pour l'instant, un *plan d'extermination.*

François Furet distingue bien ces deux périodes, et évoque la violence de l'affrontement : « Violence vendéenne, puisque cette plèbe rurale insurgée au nom de Dieu ne fait guère de merci. Mais surtout violence révolutionnaire, la plus inexcusable au regard même du " salut public " qui lui sert d'excuse, puisque c'est une violence de vainqueurs, exercée *punitivement* après la *liquidation* de l'Armée Catholique et Royale... »

Dans son chapitre sur la Terreur,

François Furet reprend la même distinction chronologique entre :

— la période de la guerre civile : de mars 1793 à décembre 1793 : il s'agit là de « la répression d'une insurrection »;

— la période qui commence en janvier 1794 : il ne s'agit plus des « cruautés et des massacres commis dans le feu des batailles »... Car si la guerre a été impitoyable de part et d'autre, ce qui commence après est d'une nature différente : c'est une « *répression de masse, organisée d'en haut,* sur *ordre* de la Convention, dans *l'intention de détruire* non seulement les rebelles, mais la *population,* les fermes, les cultures, *les villages,* etc. La guillotine ne suffit plus à une telle tâche »... Tout est dit ici en quelques phrases qui pèsent lourd. Nous voilà très loin de l'historiographie complaisante des manuels scolaires et des guides à festons du Bicentenaire.

Avant de qualifier ce plan d'extermination, et de divulguer *le secret de*

Gracchus Babeuf sur les intentions réelles de la Convention, reprenons les trois caractéristiques qui distinguent ce vaste programme d'anéantissement d'une simple répression ou d'un massacre d'après-victoire.

Première caractéristique : Ce *plan* est *pensé à l'avance*, juridiquement organisé et *voté par la Convention.*

« De fait, nous dit F. Furet, le programme d'extermination est dressé par Barère, dans le discours du 1er août, au nom du salut de la patrie : " Détruisez la Vendée, et Valenciennes ne sera plus au pouvoir des Autrichiens. Détruisez la Vendée, et le Rhin sera délivré des Prussiens. Détruisez la Vendée, et l'Anglais ne s'occupera plus de Dunkerque, etc. " Mais il n'est mis en œuvre qu'en janvier 1794, au moment où la situation est rétablie un peu partout, comme si la Vendée vaincue continuait à incarner, selon les termes du 1er août, " le chancre qui dévore le cœur de la République " le combat continue aussi longtemps que brûlent les cendres de la Contre-révolution et, pour être tout à fait victorieuse, la Révolution doit détruire son anti-principe, le rayer de l'histoire. »

La région et ses bourgs sont débaptisés, le département de la « Vendée » s'appelle désormais le département « *Vengé* ».

Quand j'écris que ce plan est « juridiquement organisé », je veux dire trois choses essentielles :

— il y a *vote* sur le plan ;
— il y a des *ordres* écrits ;
— il y a des *comptes rendus* quotidiens.

Il y a vote de la Convention sur le plan et chacun de ses articles :

— *Article 6 :* il sera envoyé par le ministère de la Guerre des *matières combustibles* de toutes espèces pour incendier les bois, les taillis et les genêts...

— *Article 7 :* les forêts seront abattues les repères des rebelles seront détruits, les récoltes seront coupées par les compagnies d'ouvriers pour être portées sur le derrière de l'armée et les bestiaux seront saisis...

— *Article 14 :* les biens des rebelles seront déclarés appartenir à la République...

On comprend, en lisant ces articles, l'apostrophe de Turreau : « Il faut faire de la Vendée un cimetière national. »

Il y a des ordres écrits : 8 février 1794, lettre du Comité de Salut public signée Carnot : « Tu te plains, citoyen général, de n'avoir pas reçu du Comité une approbation formelle à tes mesures... Elles lui paraissent bonnes et pures... *Extermine les brigands jusqu'au dernier,* voilà *ton devoir.* »

Il y a des comptes rendus quotidiens, faisant sans cesse *référence aux ordres reçus :* « Aujourd'hui, journée fatigante mais fructueuse... Nous avons décalotté toute une nichée de calotins... », signé Chapelain, colonne Cordellier-Crouzot, 28 février 1794.

Dans le même genre macabre, les rapports quotidiens de Boucret, de Caffin, qui dorment aux Archives nationales, sont injustement méconnus aujourd'hui, alors qu'à l'époque, de janvier à juin 1794, tout le monde, généraux et dignitaires de la Convention, les avaient eus entre les mains. Tout le monde *savait.*

Quand se déchaîne la Bête immonde, le monde ne sait plus rien que compter ses silences complices. Quand revient le temps de la parole, parfois deux siècles après, l'immonde devient inavouable : « Nous ne *savions* pas. » Apologie de crime de guerre par manque d'information.

Deuxième caractéristique : Ce *plan* d'extermination vise non seulement les rebelles mais aussi toute la *population civile.*

Il s'agit, d'abord, de détruire tous les moyens de subsistance : animaux, fermes, haies. Sinistre remembrement !

Il s'agit ensuite de supprimer toutes les populations, toutes générations, tous sexes et toutes opinions confondus : on supprime les enfants, parce que « ce sont de futurs brigands ».

On supprime les femmes, parce que « ce sont des sillons reproducteurs » et qu'il faut briser la chaîne de la vie.

On supprime Bleus et Blancs sans faire le détail, comme l'ordonne dans une instruction effarante, le général Grignon, chef de la première colonne, le 17 janvier 1794 : « Je sais qu'il peut y avoir quelques patriotes dans ce pays ; c'est égal, nous devons *tout sacrifier*... »

Immense sacrifice humain qui n'a plus rien à voir, chacun en conviendra, avec les lois de la guerre.

Troisième caractéristique : ce *plan* d'extermination utilise, non plus les moyens de la guerre, de la répression, ou du maintien de l'ordre, mais les moyens d'une *solution finale*. Oui, il y a eu en Vendée ce que le droit international appelle aujourd'hui un « crime contre l'humanité ».

Selon la *Nouvelle Encyclopédie* : « En 1945, le tribunal de Nuremberg, devant lequel furent jugés les principaux chefs allemands accusés de crimes de guerre, établit la notion de « *crime contre l'humanité* ». Sont considérés comme crimes contre l'humanité : « L'assassinat, l'extermination, l'asservissement, la déportation et tout autre acte inhumain, perpétrés avant ou pendant la guerre ».

A la différence des crimes de guerre qui sont traités comme des crimes de droit commun, les crimes contre l'humanité *sont imprescriptibles.* Ce qui veut dire que ma lettre ouverte est une lettre pour le temps présent, que le témoignage des Vendéens a un sens pour après-demain, et qu'il n'y a *pas de prescription* pour tous les grands criminels en liberté dans notre mémoire; l'Histoire les condamne par contumace. Ils sont seulement en exil, protégés temporairement et pour quelques années encore par le ministère de l'Éducation nationale. Le délai continue de courir

Imprescriptible, le crime de Robespierre ! Et n'oublions pas la phrase de Carrier prononcée, lors de son procès en décembre 1794 : « Si l'on veut me punir, tout est coupable ici, jusqu'à la sonnette du président. »

Les preuves du crime contre l'humanité sont accablantes, n'en déplaise aux quelques Faurisson de service qui nient, par un montage odieux. les évidences des pièces d'archives :

— les moyens utilisés pour l'anéantissement de la région ne sont plus des moyens de guerre : guillotine, baïonnette, balle. On les abandonne par manque de rendement. Comme on dit chez nous en Vendée, « on ne fournit plus » ;

— ce sont des moyens d'*extermination collective*.

Dans un premier temps, on tente plusieurs expériences d'armes chimiques. Voici par exemple l'ordre du 9 novembre 1793, signé par l'immonde Carrier : « Il faut employer les *moyens extrêmes*. Faites empoisonner les sources d'eau, empoisonnez du pain que vous abandonnerez à la voracité de cette misérable armée de brigands. Tuez à *coups d'arsenic*, cela est moins dispendieux et plus commode. » Mais c'est l'échec.

Dans un deuxième temps, sont mis en œuvre les fameux projets des *noyades* et des *colonnes incendiaires*. Le général Turreau commande les douze flambeaux (il aura bien mérité de la patrie puisque son nom figure aujourd'hui sur l'Arc de triomphe) qui reçoivent l'ordre écrit de livrer aux flammes tout ce qui est susceptible d'être brûlé, et de supprimer, au passage, toute âme qui vive. C'est dans le cadre de ces instructions que le général Amey, selon le témoignage de l'officier de police Gannet, « fait allumer des fours, et, lorsqu'ils sont bien chauffés, y jette les femmes et les enfants. Nous lui avons fait quelques représentations, il nous a répondu que c'était ainsi que la République voulait faire cuire son pain ».

A Nantes, le procédé utilisé consiste à charger des cargaisons humaines dans des bateaux à soupape, aménagés de sabords, et à les couler au milieu de la Loire

A Angers, on a même tanné des peaux humaines pour en faire des culottes de cheval. Quand Reynald Secher a écrit cela dans son livre *Le Génocide franco-français*, je ne l'ai pas cru. Mais, j'ai aujourd'hui en main le témoignage manuscrit sous les yeux, écrit d'une main tremblante (et qui se trouve, entre autres pièces, aux Archives départementales d'Angers : ILI/27/3) « ... que Pecquel, chirurgien au 4e bataillon des Ardennes écorcha 32 de ces cadavres, les fit porter chez Lemonnier, tanneur aux Ponts Libres, pour les *tanner,* que le particulier s'y refusa, qu'il sait que les peaux sont déposées chez Prudhomme, manchonnier [fabricant de manchons] à Angers »...

C'est épouvantable. Et c'est injustifiable.

Comment qualifier ce *plan d'extermination ?*

Beaucoup d'historiens, à partir des travaux les plus récents, de Jean Tulard à Reynald Secher, de Jean Meyer à Pierre Chaunu, utilisent le mot « génocide ».

Ils se fondent notamment sur la convention de l'ONU du 9 décembre 1948, la Convention européenne des droits de l'homme, etc. Ces textes définissent le génocide : « Tout acte portant atteinte à l'intégrité physique ou mentale d'un ou plusieurs individus appartenant à un groupe ethnique, racial ou *religieux.* »

La Vendée entre-t-elle dans cette définition en tant que « groupe religieux » ? Ces historiens le pensent au motif que la Convention a voulu « détruire et exterminer matériellement et spirituellement la Vendée ».

Le mot « génocide » a été inventé par Raphaël Lemkin, juif polonais émigré aux États-Unis en 1943, dans un livre publié en novembre 1944.

L'objection qui a été faite à l'utilisation de ce mot forgé pendant la Seconde Guerre mondiale, est son anachronisme dans le contexte de la Révolution. Anachronisme qui devrait alors s'appliquer au « génocide arménien » (1885-1896 et 1915-1916), pourtant reconnu par l'ONU.

Dans *Le Point* du 18 août 1986, Jean-François Revel relève l'incohérence de l'objection tenant à l'emploi rétrospectif d'un mot d'apparition récente : « L'anachronisme consisterait à placer de tels néologismes dans la bouche des personnages des temps jadis qui, forcément, les ignoraient. Mais pourquoi nous serait-il interdit de les employer, même pour caractériser une situation passée *à condition qu'ils s'y appliquent ?*

« Nous parlons bien de l'inflation sous le Bas-Empire, barbarisme de notre cru et auquel Dioclétien n'eût compris goutte. Or, on a le droit de recourir à la notion de génocide en présence de circonstances et en fonction de critères qui n'ont rien de vague. »

Et J.-F. Revel, saluant le travail de Reynald Secher, ajoute : « Il est très français que cette thèse d'État, coup de maître d'un historien de trente ans, ait suscité avant tout *une querelle de vocabulaire.* Le premier mouvement a-t-il été pour soupeser l'intérêt d'archives mises au jour après deux siècles de cellier? Mesurer l'ampleur des nouveaux renseignements fournis? Évaluer le progrès accompli dans la compréhension des faits? Que non! Toutes affaires cessantes, les docteurs se sont empoignés sur la question de savoir si l'auteur était fondé à user, dans son titre, du terme " génocide ". »

Mais alors la dékoulakisation des années trente, c'est quoi?

L'enfer de Pol Pot, c'est quoi?

L'Éthiopie, c'est quoi?

Comment trouver les mots qui conviennent? Comment éviter aussi, à force d'utiliser les mêmes expressions, de les affaiblir, de les émousser, et finalement de leur faire perdre leur force et leur impact aux yeux des générations qui apprennent l'histoire quand justement cette histoire est devenue comme un objet refroidi?

Ce qui est à craindre en effet, c'est que

l'extension du terme « génocide » au-delà de l'épreuve pour lequel il a été conçu, entraîne sa dévalorisation, sa dé-signification par rapport à l'innovation monstrueuse de la dernière guerre, l'extermination dans les camps nazis.

Méfions-nous de ces travers de civilisation qui faisaient dire à Paul Valéry : « Les mots prennent de la valeur au fur et à mesure qu'ils perdent leurs sens. »

L'oubli est si vite arrivé !

C'est pourquoi, aujourd'hui, après mûre réflexion, je crois qu'on ne devrait pas appliquer le mot « génocide » à d'autres épreuves qu'à l'holocauste de la Guerre 39-45. Sinon, il arrivera tôt ou tard, pour le génocide juif, dans cent ans, dans deux cents ans, ce qui est arrivé pour le malheur des Vendéens : il sera traité comme « un point de détail ».

Je ressens cela au fond de moi-même. Rien n'est pire que l'oubli, quand le sacrifice devient inutile, quand la souffrance n'a plus de sens et ne laisse pas de trace, quand la victime, piétinée par l'ingratitude et l'indifférence, n'est plus qu'une fane d'orties sous nos pieds. Car je crois que, derrière la très spécieuse querelle sémantique, se cache une très fondamentale querelle de symbole pour la transmission de la Mémoire.

On ne retient l'Histoire qu'avec des mots qui portent loin et qui désignent d'une manière unique et durable, en les retenant dans leur gangue, les moments forts, trop facilement, trop vite fondus et dilués dans le temps flou.

Il faut bien comprendre que la charge affective du mot « génocide » est, pour tous les hommes de notre temps, un mode de transmission autant qu'un mode de désignation de l'horreur absolue. Afin de marquer que le crime nazi est unique, que la brûlure de la mémoire de l'humanité est indélébile; afin que rien ne soit perdu de ce qui, dans le souvenir de l'holocauste, donne la force du témoignage; bref, afin d'éviter le pire, c'est-à-dire l'*entropie de la mémoire*, l'événement unique, pris dans son historicité, n'autorise pas l'échange, le transfert ou le glissement des mots.

Il y a des « mots-symboles », qui ont mission de tenir le crime comme une tunique de Nessus. Des mots qui appartiennent à l'Histoire.

Partant, même si le contenu sémantique du mot « génocide » correspond à ce qui s'est passé en Vendée, je n'utiliserai pas ce terme.

J'utiliserai le mot POPULICIDE. Non pour le seul effet de l'échange d'une étymologie grecque contre l'étymologie latine du même concept, mais parce que ce terme-là est irrécusable, unique lui aussi, et nullement entaché d'une quelconque rétroactivité.

Il est écrit, en toutes lettres, pour qualifier l'extermination des Vendéens, dans un livre retrouvé, il y a quelques mois, aux Archives de Nantes.

Or ce n'est pas n'importe quel livre, et ce n'est pas n'importe quel auteur. Le livre s'intitule : « *La Guerre de Vendée et le système de dépopulation.* » Il a été écrit à la fin du mois de décembre 1794 par *Gracchus Babeuf,* le père du communisme, celui dont Jaurès nous dit qu' « il a fondé, en notre pays, la doctrine socialiste ». En voici la phrase clé :

« Le Moment et l'occasion sont venus

de divulguer un immense *secret à la France* : Maximilien et son conseil avaient calculé qu'une vraie régénération de la France ne pouvait s'opérer qu'au moyen d'une nouvelle distribution du territoire et des hommes qui l'occupent. »

La suite du livre est effarante : Babeuf, qui dénonce et condamne le populicide, explique comment la Vendée a été choisie comme *champ d'expérience.* Ce que raconte ce livre est à peine croyable. Le fait qu'on ait tu ce témoignage capital pendant deux siècles en dit long sur la gêne de ceux qui ont fait profession de mentir à la France.

Mais, tant qu'il y aura des historiens, et tant qu'il y aura des Vendéens, il y aura des témoins du « Populicide vendéen de 1793 ».

Pourquoi doit-on parler sans cesse de la Vendée, à propos du Bicentenaire ?

Parce qu'elle a sauvé la liberté de conscience.

Parce que, si la Vendée ne s'était pas insurgée, le traité de La Jaunaye d'abord, le Concordat ensuite *n'auraient jamais rétabli la liberté religieuse. C'en était fini de la liberté du culte.* Nous aurions eu des cultes étatiques de substitution dans le style du « culte de la Raison », ou « de l'Être suprême », ou encore de je ne sais quelle « théophilanthropie »...

C'en était fini de la liberté de la vie intérieure.

La Vendée a sauvé la République de l'oppression des consciences.

La Vendée a sauvé l'honneur.

Nous sommes tous des Vendéens.

De cette *Vendée-symbole* qui est, au fond de chacun d'entre nous, comme une petite Pologne, un refus de l'inacceptable et un accomplissement de civilisation personnelle.

Nous sommes tous des Vendéens.

De cette Vendée de 93, sœur de la Pologne, qui s'élève à l'altitude mentale où l'âme respire amplement.

Haute région du cœur, pays affectif où le premier mouvement est de ne pas céder.

Nous sommes tous de cette Vendée qui dit non ; tous des *Réfractaires.*

Français de fraîche date ou de vieille souche, une partie de nous-même nous échappe et s'échappe en Vendée chaque fois que nous sommes tentés de récuser les versions d'État de l'Histoire convenue ; chaque fois que nous choisissons les défricheurs d'avenir à tous les académismes où s'abîme le discours politique.

Où sont donc aujourd'hui les défricheurs d'avenir ? Là où se tissent les liens d'une *Europe de la Personne*. Comme une lente tapisserie de la reine Mathilde, cette Europe-là, qui n'est pas le grand Rungis cher à nos économaîtres, est une œuvre d'art, une œuvre d'hommes : une urgence de civilisation, fondée sur quelque ferveur. L'Europe des valeurs avant l'Europe de la valeur ajoutée.

Là où le discours nous présente un *grand marché*, les jeunes Européens réclament une *grande pensée*.

Il faut que, demain, l'Europe ait enfin la politique de sa pensée.

L'Europe, c'est une pensée qui ne se contente pas, a-t-on dit. Une pensée, c'est-à-dire l'affinement, l'approfondissement de la Personne, ce à quoi devrait nous faire réfléchir le Bicentenaire des Droits de l'homme.

Comme le craint Jean-Marie Lustiger *(Le Choix de Dieu)*, les temps à venir risquent, chez nous, de contredire les droits fondamentaux de la personne.

Le drame de notre temps est que « la revendication des droits de l'homme ne s'est jamais faite aussi urgente, aussi insistante, aussi universelle qu'au moment où les contradictions au sujet de leur définition et leur négation dans les faits ont été aussi forts ».

Ce sont ces contradictions que la conscience européenne doit dénouer. A condition d'enraciner ces droits dans un principe supérieur.

Comme l'écrit Alain Finkielkraut, « il y a des lois de l'humanité » ; c'est-à-dire un droit supérieur aux États, des valeurs absolues, des liens spirituels, auxquels ne donnent accès ni la seule Raison des Lumières, ni la Raison d'État qui, hélas, au nom de la « libération des peuples », des maraîchins du pays de Retz aux koulaks des plaines de Russie, de Jacques Cathelineau à Jerzy Popiélusko, justifiera toujours les coups mortels portés à la *liberté de conscience*.

Je ne vois qu'une manière de faire l'*Europe de la Personne*, cette Europe d'une pensée qui ne se contente pas, c'est-à-dire une vraie nation dans toutes ses exigences, ses fibres, et ses protections, c'est de loger au cœur de chaque petit Européen, de chaque petit Français, un peu de *patrie intérieure.*

Pour faire l'Europe, il faut faire aimer l'Europe. Faire entendre une petite voix intérieure qui vous susurre à l'oreille :

Regarde l'Europe comme elle est grande !

Regarde la France comme elle est belle.

Bicentenaire des Droits de l'Homme.
Bicentenaire de Vérité.
Bicentenaire de la Liberté.

Collection « Lettre ouverte »

RENÉ ANDRIEU — *Lettre ouverte à ceux qui se réclament du socialisme*
CHRISTINE ARNOTHY — *Lettre ouverte aux rois nus*
ROBERT ARON — *Lettre ouverte à l'Église de France*
YVAN AUDOUARD — *Lettre ouverte aux cons*
M-C. BARTHOLY et J.-P. DESPIN — *Lettre ouverte à ceux qui veulent tuer le livre scolaire*
RENÉ BARJAVEL — *Lettre ouverte aux vivants qui veulent le rester*
ANDRÉ BERGERON — *Lettre ouverte à un syndiqué*
PIERRE DE BOISDEFFRE — *Lettre ouverte aux hommes de gauche*
JEAN BOTHOREL — *Lettre ouverte aux douze soupirants de l'Élysée*
GASTON BOUTHOUL — *Lettre ouverte aux pacifistes*
PHILIPPE BOUVARD — *Lettre ouverte aux marchands du Temple*
R.L. BRUCKBERGER — *Lettre ouverte à Jésus-Christ*
R.L. BRUCKBERGER — *Lettre ouverte à ceux qui ont mal à la France*
JEAN CAU — *Lettre ouverte aux têtes de chiens occidentaux*
JEAN CAU — *Lettre ouverte à tout le monde*
GILBERT CESBRON — *Lettre ouverte à une jeune fille morte*
FRANÇOIS CHALAIS — *Lettre ouverte aux pornographes*
LIONEL CHOUCHON — *Lettre ouverte aux fatigués...*
SALVADOR DALI — *Lettre ouverte à Salvador Dali*
PIERRE DEBRAY-RITZEN — *Lettre ouverte aux parents des petits écoliers*
PIERRE DÉMERON — *Lettre ouverte aux hétérosexuels*
ROLAND DORGELÈS — *Lettre ouverte à un milliardaire*
MICHEL DROIT — *Lettre ouverte à ceux qui en ont plus qu'assez du socialisme*
MAURICE DUVERGER — *Lettre ouverte aux socialistes*
GEORGES ELGOZY — *Lettre ouverte à un jeune technocrate*
ROBERT ESCARPIT — *Lettre ouverte à Dieu*
ROBERT ESCARPIT — *Lettre ouverte au diable*
ALFRED FABRE-LUCE — *Lettre ouverte aux chrétiens*
JEAN FERRÉ — *Lettre ouverte à un amateur d'art*
JEAN FOUGÈRE — *Lettre ouverte à un satyre*

Jean Fourastié	*Lettre ouverte à quatre milliards d'hommes*
Max Gallo	*Lettre ouverte à Maximilien Robespierre sur les nouveaux muscadins*
Maurice Garçon	*Lettre ouverte à la Justice*
Jean Grandmougin	*Lettre ouverte au ministère de l'Information*
Paul Guth	*Lettre ouverte aux futurs illettrés*
Paul Guth	*Lettre ouverte aux idoles*
Jean-Edern Hallier	*Lettre ouverte au colin froid*
Charles Hernu	*Lettre ouverte à ceux qui ne veulent pas savoir...*
Guy Hocquenghem	*Lettre ouverte à ceux qui sont passés du col Mao au Rotary*
Roger Ikor	*Lettre ouverte aux Juifs*
Roger Ikor	*Lettre ouverte à de gentils terroristes*
Dominique Jamet	*Lettre ouverte à la droite la plus mal à droite du monde*
Michel Jobert	*Lettre ouverte aux femmes politiques*
Robert Laffont	*Lettre ouverte aux Français d'un Occitan*
Dominique de La Martinière	*Lettre ouverte à tous les parents qui refusent le massacre de l'enseignement*
Jean Lartéguy	*Lettre ouverte aux bonnes femmes*
Jacques Laurent	*Lettre ouverte aux étudiants*
Mgr Lefebvre	*Lettre ouverte aux catholiques perplexes*
Jean-Claude Martinez	*Lettre ouverte aux contribuables*
André Maurois	*Lettre ouverte à un jeune homme*
Henri Modiano	*Lettre ouverte aux gaullistes trahis*
Éric Neuhoff	*Lettre ouverte à François Truffaut*
François Nourissier	*Lettre ouverte à Jacques Chirac*
Françoise Parturier	*Lettre ouverte aux femmes*
Françoise Parturier	*Lettre ouverte aux hommes*
Louis Pauwels	*Lettre ouverte aux gens heureux*
Thierry Pfister	*Lettre ouverte à la génération Mitterrand qui marche à côté de ses pompes*
Michel Poniatowski	*Lettre ouverte au Président de la République*
Jean-François Revel	*Lettre ouverte à la droite*
Jules romains	*Lettre ouverte contre une vaste conspiration*
Denis de Rougemont	*Lettre ouverte aux Européens*
Michel de Saint-Pierre	*Lettre ouverte aux assassins de l'École libre*

PHILIPPE DE SAINT-ROBERT	*Lettre ouverte à ceux qui en perdent leur français*
ALEXANDRE SANGUINETTI	*Lettre ouverte à mes compatriotes corses*
ALBERT SIMONIN	*Lettre ouverte aux voyous*
ANDRÉ SOUBIRAN	*Lettre ouverte à une femme d'aujourd'hui*
ROBERT SOUPAULT	*Lettre ouverte à un malade en colère*
JACQUES SOUSTELLE	*Lettre ouverte aux victimes de la décolonisation*
JACQUES STERNBERG	*Lettre ouverte aux Terriens*
GEORGES SUFFERT	*Lettre ouverte aux gens de vingt ans à qui l'on ment*
MAURICE TOESCA	*Lettre ouverte à tous ceux qui voudraient un monde meilleur*
ROBERT TOUBON	*Lettre ouverte aux fossoyeurs de la médecine*
PAUL VIALAR	*Lettre ouverte à un jeune sportif*
PIERRE VIANSSON-PONTÉ	*Lettre ouverte aux hommes politiques*
PHILIPPE DE VILLIERS	*Lettre ouverte aux coupeurs de têtes et aux menteurs du bicentenaire*
WOLINSKI	*Lettre ouverte à ma femme*
GÉRARD ZWANG	*Lettre ouverte aux mal-baisants*

*La composition de ce livre
a été effectuée par Bussière à Saint-Amand,
l'impression et le brochage ont été effectués
sur presse CAMERON
dans les ateliers de la S.E.P.C. à Saint-Amand-Montrond (Cher)
pour les éditions Albin Michel*

*Achevé d'imprimer en juillet 1989
N° d'édition: 10828. N° d'impression: 1505.
Dépôt légal: juillet 1989.*